Justine, summer of love

Justine, summer of love

CHLOË RAYBAN

Manteau

Oorspronkelijke titel: *Love in Cyberia*
© 1996 by Red Fox
© 2011 Nederlandse vertaling Uitgeverij Manteau / WPG Uitgevers België nv,
Mechelsesteenweg 203, B-2018 Antwerpen en Myrthe de Bruin

www.manteau.be
info@manteau.be

Vertegenwoordiging in Nederland
WPG Uitgevers België
Herengracht 370/372
NL-1016 CH Amsterdam

Vertaling: Myrthe de Bruin
Omslagontwerp: Hanna Maes
Foto omslag: Tony Anderson (Getty Images)
Vormgeving binnenwerk: Crius Group, Hulshout, België

ISBN 978 90 223 2383 0
D/2011/0034/214
NUR 284

1

Ik zie het de laatste tijd vaak. Verborgen tussen de ronde vormen van graffiti, weggestopt tussen woorden als *PUNK*, *ZWERVER*, *F.U.* en *GEKKEN*, omringd door vredestekens en hakenkruisen – opduikend vanachter de door stadswachten afgescheurde aanplakbiljetten en naast de standaard lul-met-ballen van de vreselijk fantasieloze graffitispuiter. Soms verdwijnt het bijna volledig achter gestencilde aanplak-A4'tjes – soms staat het er luid en duidelijk, helemaal alleen. Een enkel woord, geschreven in vier duidelijke, kaarsrechte hoofdletters:

LOVE.

Met een dikke vette punt erachter.
Elke keer als ik het zie, krijg ik een schok en heb ik het gevoel dat dit woord exclusief voor mij bedoeld is.
Op die bewuste maandag zag ik het op weg van school naar huis. Op een muur waarop ik nog nooit eerder graffiti had gezien. Alsof de onbekende graffitikunstenaar het daar gespoten had, wetende dat ik er voorbij zou lopen...

Ik stond er een tijdje naar te staren. Vier simpele, zwarte letters op een verder witte muur. Opnieuw dacht ik na over de vragen die elke keer door mijn hoofd gingen als ik het zag. Wie had het geschreven? En waarom? En hoe wist diegene in hemelsnaam dat iemand zo adembenemend als ik het zou lezen? Toen haalde ik mijn schouders op, slingerde mijn schooltas over mijn schouder en liep verder naar huis.

Dat was de dag voor ik volwassen werd. Nee, echt, serieus. Ik heb altijd gedacht dat volwassen worden een geleidelijk proces is dat je langzaam bekruipt. Waarvan je niet echt doorhebt dat het gebeurt – net alsof je naar de wijzers van een klok kijkt om te zien of ze bewegen. Maar dat is dus allemaal niet waar. Ik kan het moment dat ik volwassen werd precies aanwijzen. Ik zat in bus 22 op de ringbaan op weg naar de stad.

Ik zat wat door het smoezelige raam naar buiten te staren toen ik een hele berg verlepte bossen bloemen tegen de gevel van de brandweerkazerne zag liggen.

'Waarom liggen die bloemen daar?' vroeg ik aan de controleur, die bezig was met het bestuderen van de vlek net op de geldigheidsdatum van mijn inmiddels verlopen buspas voor jongeren tot zestien jaar.

Hij tuurde door het smerige raam en zei: 'O, dat. Dat is voor Johan Peeters. Is overleden, laatst, weet je.'

'Maar dat kan helemaal niet.' Zoekend door het raam keek ik de hele stoep af. Johan was nergens te bekennen.

De controleur haalde zijn schouders op en liep verder de bus door.

Johan kon niet dood zijn. Ik had hem afgelopen zaterdag nog gezien en toen was er niets met hem aan de hand. Hij was zelfs wakker geweest.

Misschien moet ik het even uitleggen. Johan Peeters is mijn persoonlijke goede doel. Gewoonlijk zie ik hem twee keer per dag vanuit de bus. Een keer op weg naar school en een keer op weg naar huis. Johan is mijn enige stukje zekerheid dat er een leven bestaat buiten school en werk – een echt bestaan naast die mallemolen waarin we allemaal gevangenzitten, ook wel bekend als het dagelijks leven. Het gaat zo, ik zit in de bus met allemaal mensen die in die mallemolen zitten. Iedereen zit naar beneden te staren, op weg naar kantoor, interview, tandarts, examen of God weet wat. En dan heb je Johan, zwaaiend en grijnzend, keurig gescheiden van deze mallemolen. Al zolang ik me kan herinneren woont Johan in een beschut stukje onder de brandweerkazerne. Voor een zwerver was hij behoorlijk goed af. Hij bezat een supermarkt-karretje gevuld met legerdekens, kranten en plastic super-markttassen vol met van die typische, vreemde zwervers-spullen die je maar beter niet te nauw kunt onderzoeken. Mijn bezoekjes aan Johan waren een wekelijks ritueel geworden dat ik stiekem en toegewijd elke zaterdag uit-voerde. Tenminste, als ik niet naar mijn grootouders werd meegevoerd of op vakantie was of zoiets. Het is niet dat ik nu lof verwacht of zo, maar onderdeel van het ritueel was dat ik Johan elke zaterdag een gedeelte van mijn zakgeld gaf. Op die manier zuurverdiend geld weggeven, is niet zo eenvoudig als het klinkt. Je hebt echt geen idee wat voor een gewetensvolle martelgang het elke keer weer was om, als ik een verhoging van mijn zakgeld kreeg, te bepalen wat een eerlijk percentage was om aan Johan toe te kennen.

Ik weet niet helemaal zeker of Johan merkte dat ik hem geld gaf of dat hij me herkende of zo. Soms zwaaide hij zijn dreadlocks op en neer of hief hij een fles naar mij, maar meestal ging hij gewoon door met tevreden tegen zichzelf te mompelen. Ik was ook niet uit op dankbaarheid. Nee, die kleine, rituele bijdragen waren mijn vorm van zekerheid en bescherming. Als ik een keer een zaterdag miste, voelde ik me vreselijk, alsof er elk moment iets afgrijselijks kon gebeuren. Deze donaties waren mijn bescherming tegen de grote, dreigende muren van de onverschilligheid die ik om me heen voelde ontstaan. Het is niet mijn bedoeling zwaar op de hand te worden, maar je weet wat ik bedoel – dingen als terroristische aanslagen, de oorlog in Afghanistan, de gaten in de ozonlaag en je kat die aangereden wordt. Johan elke zaterdag zijn deel van mijn zakgeld geven was mijn manier om terug te vechten. Terugvechten tegen die afschuwelijke machteloosheid die ik voelde voor al die vreselijke dingen die kunnen gebeuren. Op de een of andere manier had ik het idee dat, als alles met Johan in orde was, het dan met de wereld ook goed ging. Dat de aarde met mij erop gewoon doordraaide. En niet dat ik er opeens afviel omdat de zwaartekracht plots niet meer werkte of dat ik doodvroor omdat de zon vergat op te komen of zoiets.

Hoe dan ook, dit alles kwam die middag terwijl ik in bus 22 zat ten einde. Terwijl ik een laatste blik wierp op de stoffige boeketten met verlepte bloemen die langzaam uit het zicht verdwenen, had ik geen andere keus dan te aanvaarden dat Johan dood was. En moest ik ook onder ogen zien dat mijn wekelijkse, financiële injecties waren wat ze waren. Totaal niet effectief tegen de harde werkelijkheid.

De laatste keer dat ik me zo ontgoocheld voelde, was die keer dat ik erachter kwam dat de Breitling die papa voor me mee had genomen uit Singapore niet echt was.

Dus het was een oudere, bedachtzamere, rijpere, zeg maar meer volwassen ik die daar in bus 22 zat terwijl die, op een soort griezelig symbolische manier, van de Waterweg de *Nieuwe* Waterweg opdraaide.

Eenmaal thuis rende ik de trap op naar mijn kamer om in de spiegel te onderzoeken of deze nieuw verworven volwassen status ook echt te zien was. Of ik er nu anders uitzag.

Ik probeerde mezelf objectief te beoordelen. Het spiegelbeeld liet het volgende zien: blond haar met highlights en gespleten haarpunten waar Franz en ik te veel lightener in hadden gesmeerd en Franz stukken uit had geknipt. Daaronder een vlekkeloos gezicht met de perfect ovale vorm van een kwaliteitsei. Ik zoog mijn wangen naar binnen zodat mijn jukbeenderen goed zichtbaar waren. Vervolgens onderzocht ik mijn sleutelbenen nauwgezet op beginnende holtes. Ik probeerde een paar Kate Moss-blikken.

'Voel je je wel goed?' Mijn moeder had de deur opengeduwd en keek bezorgd naar binnen.

'Het zou fijn zijn als je eerst klopt.'

Ze pakte een berg ondergoed en een paar koffiemokken van de vloer op en liep de kamer uit. 'Hemeltje, Justine. Ik ben je moeder.'

'Dat bedoel ik.'

Bestond er geen privacy meer in deze wereld? Hier moest grondig heropgevoed worden om haar duidelijk te maken dat ik geen kind meer ben.

Ik keek mijn kamer rond. Fred de Beer zat opgepropt op mijn kussen. Een duidelijk teken dat mijn moeder mijn bed voor me had opgemaakt. Ze had mijn toilettafel ook opgeruimd en alle dekseltjes en dopjes weer op mijn make-up gedaan. Ik gooide mijn kleerkast open. Ze had zelfs mijn spijkerbroek op een hanger gedaan. En ze had... nee, dat kon ze niet gedaan hebben... jawel, ze had... djeezes!

'Ma-am!'

'Liefje, wil je alsjeblieft niet zo schreeuwen in huis. En noem me alsjeblieft niet zo. Kom gewoon even naar beneden.'

'Wat heb je met mijn spijkerbroek gedaan!'

Ze deed net of ze me niet begreep.

'Ik dacht dat die wel een wasbeurt kon gebruiken...'

'En?'

'Nou ja, de pijpen hingen op halfzeven.'

Twee afschuwelijk lelijke C&A-opstrijkmotiefjes van spijker-stof ontsierden de achterkant van mijn perfect vervaagde, gescheurde originele Levi's 501.

'Je begrijpt het gewoon niet, hé?'

'Ik dacht dat je blij zou zijn.'

'Blij!'

'Die spijkerbroek was echt ontoonbaar.'

'Iedereen heeft zulke spijkerbroeken aan.'

'Nou, als jij er zo bij wilt lopen zodat iedereen vol zicht heeft op je ondergoed...'

'Ik heb er altijd een body onderaan.'

'Het zijn gewoonweg vodden...'

'Ze kosten anders een fortuin.'

'Daar wilde ik het nu net met je over hebben...'

'Moedertje...'

'Om eerlijk te zijn, Justine...'

Ik herkende in deze woorden de openingszin van een klassieke ouderlijke tirade. Ik liet de woordenstroom langs me afglijden. Om je een idee te geven noem ik een paar standaardzinnen. 'Vroeger'... 'Spaarden wij ons zakgeld voor iets wat de moeite waard was'... 'Zaten we niet de hele dag voor de televisie'... 'Wanneer heb jij voor het laatst een boek gelezen?'... 'Interesse getoond in de actualiteit'... 'En al die vreselijke, gewelddadige films'... 'Tennis of zwemmen of... of... nou in ieder geval iets in de buitenlucht'...

Ondertussen had ik de waterkoker aangezet, brood geroosterd, een schoon bord en een schoon mes uit de vaatwasser opgediept en twee geroosterde boterhammen met Nutella besmeerd.

Ze was inmiddels goed op dreef. 'En af en toe eens in en om het huis opruimen in plaats van je spullen overal te laten slingeren'... 'Of strijk zelf eens wat van je kleren'... 'Niet alles en iedereen voor lief nemen'... 'En...'

'Wil je een kopje thee, moedertje?' vroeg ik haar, toen ze buiten adem raakte.

'Nee, Justine, eerlijk gezegd kan ik wel een glaasje sherry gebruiken.'

Triest geval, dacht ik terwijl ze de trap op verdween. Ik nam een hap van mijn brood. Een mix van warme, gesmolten Nutella en boter liep met een zalig gevoel via mijn mondhoeken naar beneden. Weet je, ik denk niet dat ik al die voorbeelden over haar geïdealiseerde jeugd helemaal geloof. Niemand kan zo gruwelijk perfect geweest zijn, zelfs mama niet. En dat ook nog eens in de jaren zeventig. Hoe kan het dat het hele 'seks, drugs en slecht gedrag'-gedoe aan haar voorbijgegaan is? Of is het wel aan haar voorbijgegaan?

De telefoon ging over.

'Hoi...'

Het was Franz. (Fransien voor de niet-ingewijden.)

'Je klinkt een beetje down. Wat is er?'

'Problemen op het thuisfront.'

'O ja? Waarover?'

'Mam heeft echt zwaar letsel toegebracht aan mijn favoriete 501. Mijn jeans is echt helemaal naar de knoppen.'

'Djeezes, Justine. Hoe dan?'

'Walgelijke lapjes op de kont. Van die opstrijkbare in nieuwe spijkerstof. Ik heb ze ervan afgescheurd en nu zitten er vieze, kleverige, zwarte vlekken op. Er zit niets anders op dan hem weg te gooien.'

'Jemig! Arm kind', leefde Franz met me mee. (Franz is mijn aller-allerbeste vriendin – ze begrijpt de ware wanhoop waartoe zo'n gebeurtenis leidt.) 'Die moeder van jou... ik zweer het je, je laat het allemaal veel te veel uit de hand lopen.'

'En dan nog iets. Ik heb net ontdekt dat Johan Peeters dood is.'

Het bleef even stil aan de andere kant.

'Johan wie?'

'Johan Peeters.'

'Juist, ja. Wie is dat?'

'Je weet wel, die zwerver waar we meestal langslopen als we naar school gaan.'

'Die ouwe dronkenlap?'

'Die onder de brandweerkazerne woont.'

'Dus?'

'Hij is dood en het kan niemand wat schelen.'

'Hoe weet jij dat ie dood is?'

'Er waren allemaal bossen bloemen voor hem neergelegd.'

'Dus dan is er wel iemand die het kan schelen.'

'Daar gaat het niet om.'

'Het kan jou wat schelen.'

'Dat weet ik, maar...'

'Justine?'

'Mm?'

'Wat heeft dit met wat dan ook te maken?'

'Dat begrijp je toch niet.'

'Ik denk dat ik je beter terug kan bellen als je geen nonsens meer uitkraamt.'

Franz hing op. Ze begreep het gewoon niet. Ze was mijn beste vriendin en ze had geen idee waar ik het over had. De gedachte bleef door mijn hoofd spoken. Normaal, weet je, zijn we het altijd met elkaar eens. Zelfs als we apart gaan winkelen, komen we met dezelfde kleren thuis – echt bizar. Maar de laatste tijd waren er toch behoorlijk wat dingen waarover we het niet eens waren.

Vervolgens had ik een paar behoorlijk heftige inzichten over hoe we er in essentie eigenlijk allemaal alleen voor staan. Wacht, geen paniek, ik ga heus niet heel erg zwaar op de hand zijn of zoiets. Ik probeer je alleen maar te vertellen hoe het voelt om, zomaar opeens, volwassen te worden – zonder enige waarschuwing of wat dan ook.

Vervolgens vroeg ik mezelf af wat voor zin het had om volwassen te zijn als mensen je niet als een volwassene behandelden? Neem mama bijvoorbeeld. Ik kon niet eens naar buiten gaan zonder dat ze precies wilde weten waar ik naartoe ging, wanneer ik weer thuis zou zijn, of ik mijn busabonnement/bibliotheekpas/sportschoolpas/thermisch ondergoed bij me had, of ik wel juist gekleed was voor eventuele toevallige ontmoetingen met een van haar keurige vriendinnen/slecht weer/potentiële kinderlokkers/aftandse bussen, of het niet verstandig was om een paraplu/peperspray/kuisheidsgordel mee te nemen enzovoort, enzovoort, enzovoort. Aaarrrrggg!

Die avond leek niet alleen mijn moeder, maar de hele wereld geheel ongevoelig voor mijn transformatie naar volwassenheid. Hier stond ik dan – zelfde huis, zelfde ouders, zelfde kat – en nog steeds dezelfde tv-gids die onthulde dat er nog steeds niets bezienswaardigs op tv kwam vanavond. Ik bedoel, mijn hemel – ik mocht dan wel veranderd zijn, maar verder was er *totaal niets* veranderd. Er moest iets gebeuren om mijn nieuwe *volwassen* identiteit vast te stellen.

Met de onverbiddelijke vastberadenheid van een bergbeklimmer die op het punt staat de Mount Everest te beklimmen of de eenzame rond-de-wereld-zeilster die vanuit de haven van Rotterdam vertrekt, liep ik naar de bijkeuken voor een grote rol zwarte vuilniszakken en ging daarmee naar boven. Ik stond op het punt om de wereld te laten zien dat ik een andere persoon was.

Terwijl ik langs de woonkamerdeur kwam, zei ik tegen mijn moeder: 'Ik ga naar boven. Het kan wel even duren.'

Mijn moeder keek wazig op van haar *Elle*. 'Goed idee liefje. Dan is het maar voor het avondeten gebeurd. Dan voel je je vast veel beter. Jouw eten staat trouwens al op een dienblad in de keuken. Je vader en ik moeten naar zo'n vreselijk saai zakenpartijtje.'

Het was duidelijk dat ze in de – verkeerde – veronderstelling was dat ik naar boven ging om mijn huiswerk te doen.

Het kostte me uren. Ik moest echt letterlijk alles aantrekken om te bewijzen hoe ongeschikt alle kledingstukken opeens waren. Hier stond ik dan, een volwassen vrouw die geconfronteerd werd met een kleerkast die plotsklaps en geheel onverklaarbaar volhing met kinderkleding. In het midden van mijn kamer vormde zich een berg van geruite minirokjes met Benetton-logo, IKKS-designerkleding en lichtgevende Zumba-kleren – er ontstond een alsmaar groeiend kerkhof van opbollende lijkenzakken voor het Leger des Heils. Ik was pas tevreden toen de kleerkast helemaal leeg was. Op het eind lag er nog een smetteloos setje Calvin Klein-ondergoed in een la en in een andere la een merkloze zwarte spijkerbroek en een zwarte coltrui.

Vervolgens was het interieur aan de beurt. Mijn Britney Spears-kalender, de posters van Lady Gaga en Justin Timberlake en mijn verzameling straatnaam- en verkeers-borden werden van de muren verwijderd. Inclusief mijn veelgeprezen 'Pas op: wegwerkzaamheden'-bord. Planken werden schoongeveegd en ontdaan van relikwieën, verwarde kluwen kettinkjes, stoffige wuppies, met lovertjes versierde haarelastiekjes, munten, schelpen, een stuk steen met glit-tertjes erin die misschien wel, misschien niet, van goud zijn, mijn bijna complete verzameling smurfen en een uit elkaar vallend dorp van historische miniatuurhuisjes. Als laatste gingen het dekbedovertrek en de gordijnen met het afzich-telijke 'zon en maan'-motief, waar ik destijds echt uren met mijn moeder over beraadslaagd had, in een vuilniszak.

Rond twee uur in de ochtend zat ik in de schoongemaakte en gezuiverde kamer en keek ik tevreden naar de kale muren, waar alleen nog een paar stukjes plakgum verraadden dat er ooit iets gehangen had. Met een zucht stopte ik de van lapjes ontdane 501 in de laatste zak en gooide Fred de Beer erbovenop. Vervolgens zette ik het enige fatsoenlijke voorwerp in mijn kamer op een nieuwe plek – mijn stereo-toren met aan weerszijden een speaker. Djeezes, de kamer zag er echt megakaal uit. Ik dacht, morgen begint het echte leven. Misschien moest ik beginnen met mijn kamer zwart te verven – of paars.

Beneden werd er een sleutel in het slot omgedraaid. Ik deed het licht uit. Op de trap hoorde ik voetstappen. Vervolgens een gesmoord gegiechel gevolgd door de klik van het dichtvallen van de slaapkamerdeur van mijn ouders.

Met een beetje mazzel had mama morgenochtend een vreselijke kater en kon ik met de zakken uit het huis glippen zonder dat ze het merkte. Ik kroop onder het dekbedovertrekloze dekbed, stapte weer uit bed, redde Fred, klom weer met hem in bed en viel tevreden in slaap.

De dame bij het Leger des Heils moet gedacht hebben dat het Kerstmis was. Toen ik er om halfnegen arriveerde, bepakt en bezakt als een echte zwerver, waren ze nog niet eens open. Ik hamerde net zo lang met mijn vuisten op de deur tot een van die kleine, gerimpelde, vriendelijk lachende mensjes die je onherroepelijk op dit soort plekken vindt, vanachter een stofzuiger opdook en de deur voor me opendeed.

Wankelend onder het gewicht van de zakken liep ze naar achteren. Bij terugkomst plakte ze een 'Red de kinderen'-sticker op mijn jas en zei dat ik een lief, attent meisje was. Dus vervolgde ik mijn weg naar school met het gevoel dat ik een echte heilige was. Echt megaheilzaam! Dit gevoel bleef de hele dag bij me, tot ik thuiskwam.

Mama zag het toch niet helemaal hetzelfde. Om eerlijk te zijn, af en toe verbaas ik me over haar. Het grootste deel van haar leven besteedt ze aan het 'loyaal goede doelen ondersteunen' en 'haar steentje bijdragen aan liefdadigheid', maar als het gaat om pure onbaatzuchtigheid zoals 'al je kleren weggeven' is deze liefdadige inborst ver te zoeken.

Zelfs toen ik haar uitlegde dat 'ik toch niet dood gevonden wilde worden in die ouwe zooi' bleef ze maar tekeergaan over losbandigheid en egoïsme en meer van dat soort clichés waar volwassenen op terugvallen als ze overgeleverd zijn aan een uitbarsting van woede.

'Er zit niets anders op dan dat je teruggaat en je kleren terugvraagt', hield ze aan.

'Dat kan niet. Het is bijna vijf uur en ze gaan om halfzes dicht.' Ik zei er niet bij dat ik anders *The Bold and the Beautiful* zou missen.

'Juist!' zei ze. 'Dat is geen probleem. Ik breng je wel even.'

'Maar mam...'

'Geen gemaar... stap in.' Haar gezicht begon een angst-aanjagende paarse kleur te vertonen.

Ik stapte aan de passagierskant in en staarde nors naar buiten terwijl ze de versnellingsbak mishandelde en met piepende banden voor het Leger des Heils tot stilstand kwam.

Normaal gesproken geloof ik niet zo in goddelijke tussen-komst. Maar deze middag leek er iemand van boven naar beneden te kijken die mijn spullen 'gezegend' had. Mijn spullen zorgden er immers voor dat het mogelijk werd om een pomp, een zak zaaikoren of een paar honderd schoffels of zoiets aan te schaffen in een zonovergoten land, ergens ver weg, met een naam die voornamelijk uit medeklinkers bestaat.

'Caroline! Wat een verrassing! Jij bent het toch, Caroline Meertens? Hoe gaat het met je? En is dit, nee, het is niet waar. Is dit je dochter?'

Het kleine, gerimpelde, vriendelijk lachende dametje had plaatsgemaakt voor een zwaargebouwde vrouw in een modieus linnen pak. Ze zoende mijn moeder op allebei haar wangen.

'Magda. Wel heb je ooit. Wat doe jij hier?'

Er volgde een lange dialoog over boerderijen op het platteland en de problemen in het verzekeringswezen, met als extraatje een verhandeling over jagen in Duitsland.

Ik was niet echt aan het opletten. Ik wierp een behoedzame blik over de rijen kleding. Hier en daar ontdekte ik bekende kledingstukken, nu voorzien van een klein Leger des Heils-prijskaartje. Bij een paspop in de etalage was mijn Zumba-outfit zelfs opgetrokken tot aan de oksels.

Een meisje van mijn leeftijd met een ringetje door een van haar neusvleugels kwam achter een gordijn vandaan dat een kleine ruimte als kleedhokje moest afbakenen. Ze droeg een van mijn fluorescerende designerleggings. Daarop had ze een met lovertjes bezaaid topje en een angoravest aan. Ze zag er fantastisch uit.

'Ik neem ze', zei ze tegen Magda.

'Dat is dan vier euro. Wil je een tas?'

'Nee, dank je. Ik hou het aan.'

Mam en ik keken elkaar kwaad aan.

'Zo...' zei Magda tegen mam. 'Wat kan ik voor je doen?'

Mama's blik viel op een grote poster van waarop een groepje mensen dat er hongerig uitzag haar met grote onschuldige ogen aanstaarde.

Er viel een stilte.

Ik hield mijn adem in terwijl een zeldzame uitdrukking van innerlijke strijd over mijn moeders gezicht streek.

'Onderleggers!' zei ze en ze greep een set onderleggers van raffia met rare, bruine ooievaars. 'Zo grappig. Dan hebben de gasten iets om over te praten.'

'En ook nog eens voor een goed doel', stemde Magda in.

Vijf minuten later zaten we met de raffiaonderleggers in een gekreukte HEMA-zak weer in de auto.

'Oké, waarom heb je haar niet gewoon gevraagd ons mijn spullen terug te geven?' vroeg ik.

'Ik kon het niet over mijn lippen krijgen', zei mama. 'Het zou gewoon te... te vernederend zijn.'

Het bleek dus dat Magda klassenoudste was geweest op haar oude internaat. De ontmoeting met Magda moet iets van de oude, verflauwde fair play en 'eer van de slaapzaal'-mentaliteit wakker hebben geschud. Of zoals mama het zei, als een nogal vreemd en ouderwets schoolmeisje: 'Als men eenmaal zijn kloffie heeft afgegeven, kan een knaap ze eenvoudigweg niet meer terugeisen.'

2

Heb je die advertenties met namen als Cybacrom en Tecnoc weleens gezien? Ze beloven dat ze je leven radicaal veranderen. En dat je direct toegang krijgt tot al die dingen waarvan je niet eens wist dat je er geen toegang tot had. De advertenties zien er onschuldig genoeg uit. Maar eigenlijk zijn ze onderdeel van een grotere ondergrondse beweging die de macht in handen probeert te krijgen.

De beweging wordt aangevoerd door van die mannen in grijze pakken met hightechsportschoenen die er zo anoniem mogelijk uit proberen te zien. Afgelopen zaterdag heeft mijn vader zich met een van die mannen uren opgesloten in zijn studeerkamer. De man noemde zichzelf een 'infotechadviseur' en arriveerde met een grote aktekas waar de glanzende brochures uitpuilden. Ik was ondertussen naar de tennisles vertrokken, had les gekregen, gedoucht en me omgekleed. Toen ik terugkwam, ging de man net weg. Ze schudden elkaar de hand bij de voordeur en mijn vader zei:

'Nou, jij weet het het beste, zou ik zo zeggen. Beknibbelen en daarmee jezelf in de vingers snijden, lijkt me niet handig, wel?'

De man passeerde me met op zijn gezicht de uitdrukking van een kat die net de slagroom van zijn snorharen heeft gelikt.

Drie dagen later stopte er voor de deur een vrachtwagen met de tekst COMPU-MINE op de zijkant. Een groepje mannen in witte jassen droeg allerlei grote kartonnen dozen zo voorzichtig naar binnen dat het wel leek of er explosieven in vervoerd werden.

Ze verdwenen in mijn vaders studeerkamer en ik hoorde door de deur flarden van gemompelde conversaties in de trant van: 'Ingang voor terminal controle positief.'

'Uitgangspoort positief. Hé, ze hebben ons een RS249 meegegeven!'

'249? Daar krijg je nooit 28800 bps mee...'

Toen ze klaar waren met alles te installeren, ging ik eens poolshoogte nemen om te zien wat de schade was.

Ze hadden de boel compleet overgenomen. Het was onthutsend! Papa was volledig geüpgraded. Hij was van de laatste snufjes voorzien: tft-scherm, laserprinter, router, scanner – noem het maar op. Alles bij elkaar moet het een fortuin gekost hebben! En dan te bedenken dat hij weigerde om een mobieltje voor me te kopen. Eerlijk waar, zo onrechtvaardig allemaal.

Die avond, toen papa thuiskwam, stond hij een moment van op de drempel zijn studeerkamer te inspecteren.

De aanblik van de nieuwe opstelling bezorgde hem een gelaatsuitdrukking die ik zou omschrijven als ergens tussen bezorgdheid en pure angst.

Tijdens het avondeten was hij erg stil en na afloop verdween hij meteen naar zijn studeerkamer en sloot de deur achter zich.

Toen ik een uurtje later mijn hoofd om de deur stak, had hij

inmiddels uitgevogeld hoe hij de monitor aan moest zetten.
'Tot nu toe is het allemaal vrij standaard', zei hij.

Ik knikte.

Terwijl ik naar boven ging om mijn huiswerk te maken
hoorde ik hem spastisch op de toetsen rammen – toen ik de
kamer uitliep, probeerde hij onder een hoop gemompel met
twee vingers een woord te tikken.

Vijf minuten later stond hij in mijn kamerdeur met de handleiding in zijn hand.

'Ken jij iemand die hier chocola van kan maken?'

Ik probeerde net een goed excuus te vinden om niet aan mijn
geschiedenisopdracht te hoeven beginnen. De opdracht was
het geesteskind van onze geschiedenislerares, mevrouw
Struik. Het heette het Millenniumproject. Iedereen had een
decennium uit de twintigste eeuw mogen kiezen. Aangezien
de jaren zestig me het vetst leken en de beste mode hadden,
had ik besloten om van deze periode een analytische studie
te maken.

Ik was net begonnen met mijn toegewijde onderzoek en was
de modetips aan het lezen in een oude *Libelle*. Ik had het blad
onder het kleed in de speelkamer gevonden en had besloten
dat het dus een oorspronkelijke en betrouwbare bron
betrof. Mevrouw Struik had ontzettend zitten hameren op
het gebruik van 'oorspronkelijke bronnen'. Ze had het over
dingen als 'geschiedenis is overal om ons heen' en dat alles
nog aanwezig was 'in de moleculen van het bestaan zelf'.
Alsof je deeltjes van Gandhi's as in de pluisjes in je jaszak
zou vinden of zoiets – wat theoretisch mogelijk is natuurlijk,
als je erover nadenkt.

Hoe dan ook, papa's problemen leken mij vele malen drin-
gender dan deze huiswerkopdracht.

Het gaf me in ieder geval een perfect excuus om te stoppen. Dus belde ik Tommie.

Tommie is al een eeuwigheid een vriend van me. In ieder geval van ongeveer net voor mijn geboorte. Zijn moeder en mijn moeder leerden elkaar kennen op zwangerschapsgym toen Tommie en ik ongeveer dezelfde buikbolling produceerden. En toevalligerwijs kregen ze allebei op dezelfde dag weeën. Tommie werd rond halfvijf 's middags geboren en ik een halfuurtje later, om vijf uur dus. We zijn dus een soort van niet-verwante tweeling. Natuurlijk probeert Tommie altijd op zijn strepen te staan omdat hij een halfuur ouder is, maar eigenlijk zijn we beste vrienden.

Toevallig is Tommie een echte computerfreak. Gedurende de eerste vijftien jaar van zijn leven heeft niemand meer van hem te zien gekregen dan de achterkant van zijn hoofd. Tommie zit namelijk permanent over zijn toetsenbord gebogen.

Als iemand mijn vader kon helpen, dan is het Tommie wel. 'Hé, moet je horen. De ouwelui proberen zich aan te sluiten bij de eenentwintigste eeuw. Mijn vader heeft allemaal infotechspul gekocht. En nu probeert hij online te geraken.'

'Hoor ik hier een roep om hulp?' vroeg Tommie.

'Als je het niet heel erg druk hebt.'

'Ben pas aan mijn zesde poging toe om enige grip te krijgen op deze kansberekening', zei hij.

'Klinkt alsof je wel een pauze kunt gebruiken.'

'Als hij maar niet denkt dat ik elke keer zijn problemen op kom lossen.'

'Dank je wel, Tommie.'

Tegen de tijd dat Tommie arriveerde, was mijn vader compleet doorgedraaid over de incompetentie en dwaasheid van de mensen die de 'klerehandleiding' geschreven hadden. 'Als jij deze gecompliceerde wartaal begrijpt, ben je slimmer dan ik', zei mijn vader.

Tommie wierp een minachtende blik op de handleiding. 'Regel één', zei hij. 'Gebruik nooit een handleiding. Alle informatie die je nodig hebt, zou in het geheugen moeten zitten.'

'Echt?'

Tommie ging verder met mijn vader in eenvoudige lekentaal uit te leggen hoe hij zijn nieuwe apparatuur aan de praat kon krijgen. Na twintig minuten ging Tommie van lekentaal over in eenlettergrepige woorden en begeleidde hij mijn vaders nerveuze vinger over het toetsenbord. Na een pijnlijk halfuurtje of zo had hij mijn vader eindelijk geleerd hoe hij de dagwaarde van zijn aandelen kon vinden. Tommie schreef op een papier een gedetailleerde instructie over hoe die te vinden, in de onwaarschijnlijke hoop dat mijn vader dit de volgende keer zelf op zou kunnen zoeken.

Mijn vader was helemaal verrukt. In de voldane veronderstelling dat hij nu een 'computeralfabeet' was, verdween hij om naar het nieuws te kijken.

'Is het goed als ik mijn huiswerk op de computer maak?' vroeg ik hem terwijl hij de studeerkamer uitliep. Ik had in de oude *Libelle* een aantal artikelen gevonden waarvan ik dacht dat ze wel nuttig konden zijn.

Er verscheen een brede, opgeluchte glimlach op mijn vaders gezicht. Opeens veranderde de aanschaf van deze belachelijk dure computer en bijbehorende tierelantijnen van een idiote, impulsieve aankoop in een moment van zwakte in 'educatief verantwoord'.

'Ga je gang', zei hij.

En met een zwierig gebaar gooide hij het *Financieele Dagblad* in de prullenbak.

'Wie heeft dat nog nodig?' zei hij.

'Denk je dat hij het nu alleen redt?' vroeg ik.

Tommie schudde droevig zijn hoofd. 'NFWM', zei hij.

'Wat betekent dat nou weer?'

IJverig begon Tommie aan zijn uitleg: 'NFWM is een TLA – oftewel een *Three Letter Acronym*, een letterwoord van drie letters, snap je? En NFWM staat voor *No Fucking Way Man*.'

'Volgens mij zijn dat vier letters', wees ik hem terecht.

'Ja, oké. Dus?' zei Tommie.

En op die typische manier van mannen die verslagen zijn door vrouwelijke logica besloot hij dat het tijd was om naar huis te gaan en liet mij aan mijn lot over. Terug naar zijn kansberekening.

Rond middernacht was ik klaar met typen. Om er vervolgens achter te komen dat alles geleverd was, behalve printpapier. Dus kon ik mijn werk niet uitprinten. Maar, niet getreurd, ik kon natuurlijk alles eenvoudig op een stick zetten en het op school uitprinten. Naast de computer lagen gelukkig diverse sticks. Ik stak er een in de computer en drukte op de juiste knoppen. Althans, daar ging ik van uit.

Ken je dat, van die momenten waarop echt helemaal niets goed gaat?

Net toen ik mezelf wilde feliciteren met mijn computerkennis en -kunde, begon de monitor vreemde statische geluiden te maken. Zeg maar de beeldschermvariant van elektronische laatste snikken. En geloof het of niet, maar *hij gooide al mijn typewerk weg*.

Ik kon mijn ogen niet geloven.

Zes hele pagina's waarin ik nauwgezet mijn eigen hoogstpersoonlijke versie van de artikelen had getypt. Het hele scherm was blanco op een icoontje in de vorm van een kleine, gemeen tikkende, zwarte 'bom' in een hoek van het scherm na. Ik zette het scherm uit en ging ziedend naar bed.

Vrijdag was geen goede dag. Het eerste wat mijn vader die ochtend deed, was richting studeerkamer trekken om de Dow-Jonesindex te bekijken. Maar toen hij het scherm aanzette, zag hij alleen maar een blanco scherm met daarop nog steeds, zeer nadrukkelijk, het gemene zwarte bomicoontje. Hij stormde mijn kamer binnen en bulderde – geheel over de schreef – dat hij een hacker ging inhuren om de computer weer aan de praat te krijgen en dat de kosten van mijn zakgeld werden ingehouden. De rest van de dag bracht ik door in een staat van woede tegen alle technologi- sche dingen in het algemeen, en computers in het bijzonder.

De volgende ochtend, een zaterdag, zag het leven er nog niet veel beter uit. Mam was drie keer boven geweest om mij wakker te maken. En de derde keer ontplofte ze zowat. Weet je, ik heb die vreemde tegenstrijdigheid van volwassenen ten aanzien van slaap nooit begrepen. Ze vinden het helemaal prima als je uren en uren van je avond in bed doorbrengt en op die manier dus kostbare avonden verspeelt. Maar om een of andere onverklaarbare reden wordt diezelfde activiteit in de ochtend als een *misdaad* beschouwd. En ik zat deze ochtend ook nog in een echt superinteressante droom. Elke keer als ik bijna bij het beste gedeelte aanbeland was, maakte ze me wakker. Net op het moment dat ik Brad Pitt de beste tongzoen van zijn leven wilde geven en onze lippen elkaar, heel sensueel, bíjna raakten...

Nu zal ik er nooit achterkomen hoe het is om Brad Pitt te zoenen. En ik denk dat hij er net zo van baalt als ik.

Ze had mijn hele ochtend verpest, eerlijk gezegd. Ik lag in bed en het voelde helemaal niet als een zaterdag. Ik bleef liggen om te achterhalen wat hier de precieze oorzaak van kon zijn. Behalve dat Brad Pitt nu verder moest leven zonder dat ik zijn leven zin had gegeven, was er nog iets. Het duurde even voor ik doorhad wat het probleem was. Een lege plek die tot dan toe altijd ingenomen werd door Johan. En aangezien Johan er niet meer was, was ook de voornaamste reden om op zaterdagochtend de stad in te gaan verdwenen.

Ik staarde naar het plafond en probeerde te bedenken wat ik dan voor nuttigs zou kunnen ondernemen. Ik had geen idee. Dus stond ik maar op en ging naar beneden om een kop thee te zetten. Op dat moment ging alles van slecht naar slechter. Er lagen twee brieven voor mij op de deurmat. Dus ik dacht: oké, fijn. Iemand geeft om mij.

In de ene enveloppe zat een briefje van Henny (Henriëtte) en een brief van haar moeder. Haar moeder eiste, geheel onredelijk, dat ik haar zestig euro gaf. Het geld was voor een zwarte jurk van Henny die ik geleend had en die ik per ongeluk over de lamp op mijn nachtkastje had gegooid. Het jurkje was van zo'n slechte stof gemaakt dat het in brand gevlogen was. Ze beweerde dat de jurk op mysterieuze wijze was 'gekrompen'. Misschien had ze in de gaten gekregen hoe ik het verbrande gedeelte weggemoffeld had in de naad. Ik overwoog of ik als tegenargument zou gebruiken dat Henny zwaarder was geworden. Slecht idee.

De andere enveloppe was van de bank. Eerlijk gezegd zijn banken ontzettend vreselijk kortzichtig. Ik bedoel, kijk naar mij – echt sterrendommateriaal, waarschijnlijk ga ik in de

nabije toekomst een megafortuin verdienen en zij doen
moeilijk over een miezerige zevenennegentig euro en twee-
endertig cent rood staan.

En om het helemaal af te maken vertelde de spiegel in
de gang me ook nog dat ik een zeer kleine, ik bedoel *echt
minuscule* oneffenheid op mijn neus had. Drie ondoordachte
seconden later was het in mijn hoofd veranderd in een
enorme krater. Serieus, het enige wat je nog in de spiegel
kon zien, was een enorme rode vlek waar een individu aan
vastzat.

Dus maakte ik een grote mok zoete thee voor mezelf, in de
hoop dat deze verwennerij de shock tegen zou gaan en een
spoortje interesse in het leven zou wekken.

Pap had de zaterdagkrant op de keukentafel laten liggen. Ik
ipte van mijn thee en liet mijn ogen over de koppen dwalen.
Een artikel in de rechterbenedenhoek trok mijn aandacht.

EERBETOON AAN BRANDWEERKAZERNEZWERVER

*Afgelopen week verzamelden belangstellenden zich rond het
graf van zwerver Johan Peeters. De begrafenis, betaald door een
onbekende weldoener, vond gisterochtend plaats op de Algemene
Begraafplaats in het centrum. De vele rouwboeketten lieten
blijken hoezeer Johan bekendheid genoot in onze stad. Ook bij
de brandweerkazerne – een van Johans geliefkoosde verblijf-
plaatsen – stapelen de boeketten zich op.*

Opeens wist ik wat me vandaag te doen stond.
De vrouw in de bloemenzaak probeerde me een krans te
verkopen. Maar als je het mij vraagt, is het al erg genoeg om
dood te zijn, je hoeft het er niet nog eens extra in te wrijven.

Dus koos ik een grote bos gezellige, vrolijke bloemen: oranje goudsbloemen, kersrode asters, een hele lading paarse gladiolen en een paar ontzettend felgele lelies. En om het geheel af te maken liet ik er een grote rode strik omheen doen. Volgens mij kon Johan dat wel waarderen.

Vervolgens ging ik op weg naar de Algemene Begraafplaats. Omdat dit toch een soort bedevaart was, leek het me niet gepast om de metro te nemen. Ik was nu ook weer niet van plan er kruipend op handen en voeten naartoe te gaan, maar kon wel gewoon gaan lopen. Dus trok ik zuidwaarts richting de rivier en nam de voetbrug die de wijk in leidt waar de begraafplaats ligt.

In dit gedeelte van de stad wordt volop graffiti gespoten. Een muur in deze buurt heeft echt laag over laag over laag. Te midden van deze jungle van veelkleurige, opgeblazen letters viel mijn oog op iets wat me deed stilstaan. Daar stond het weer...

Vier zwarte karakters die eruit sprongen. Alsof ze op een of andere mysterieuze manier speciaal voor mij bedoeld waren.

LOVE.

Het leek of het er net opgespoten was. Alsof de mysterieuze graffitispuiter wist dat ik vandaag deze kant op zou komen, over deze brug, die bijna niemand kent en maar door weinig mensen wordt gebruikt. Echt vreemd.

Terwijl ik de brug overging, bekroop me het gevoel dat dit alles op een vreemde manier iets te betekenen had. Onder me stroomde de rivier voorbij: groen slijk dat olieachtig glimmend stil verder trok. Boven mijn hoofd snelden wolken voort: stalen grijze vingers, kwaadaardig en verwaaid. En

ikzelf stond op de brug als een soort bovenaardse koord-
danser, gevangen tussen hemel en water. (Om je een kleine
indruk te geven van hoe vreemd ik me voelde.)

Aan de andere kant van de brug, in een onderwereld beter
bekend als de arme buurt, kwam ik weer met beide benen
op de grond. Ik bedoel, je kunt je in de stad niet heel lang
raar blijven voelen. Deze buurt is zo gewoon dat ze er een
plakkaat zouden moeten onthullen om dit te gedenken. Er
is een Aldi, een Kruidvat en een Zeeman. En er zijn ik weet
niet hoeveel kaarten- en cadeauwinkels waar mensen uit
deze buurt naartoe gaan om pennen met geparfumeerde
inkt, bekerrekken en bedrukte koelkastmagneten te kopen
om aan elkaar te geven. Achter de hoofdstraat bevinden zich
kilometers anonieme straten bezaaid met videotheken en
afhaalrestaurants, zodat bewoners in hun identieke huizen
kunnen blijven en de buurt niet uit hoeven. Tenzij er een
oorlog gaande is of zo. Terwijl ik door de stille straten liep,
stelde ik me de bewoners voor. Zoals ze daar zaten achter de
vitrage, braaf hun werk uitvoerend voor vorst en vaderland.
Hoe dan ook, ik had mijn stadsplattegrond meegenomen
om me door deze onderwereld te loodsen. Het is altijd een
beetje lastig om de plattegrond te gebruiken als je zuidwaarts
reist. Alle wegen waarop je probeert uit te komen, staan
op hun kop en alle linkerzijstraten zijn rechterzijstraten
geworden en andersom. Uiteindelijk besloot ik de kaart maar
ondersteboven te houden en vond ik eindelijk de straat met
de veelbelovende naam Allerzielenlaan. En ja hoor, aan het
eind van de weg stond een wegwijzer met de tekst *Richting
Begraafplaats*.

De begraafplaats had een indrukwekkende toegangspoort van
grijze stenen en kantelen. De poort torende op een geheel

niet uitnodigende, zelfs griezelige manier boven me uit. Ik liep eronderdoor en vroeg me ernstig af of dit wel zo'n goed idee was. Rijen en rijen grafstenen strekten zich voor me uit. Allemaal even somber en gewichtig – ze gaven duidelijk aan dat ze alle recht hadden hier te zijn. Ik voelde me veel en veel te jong en te levenslustig en totaal niet op mijn gemak.

Ik stond op het punt te beslissen dat deze hele onderneming een stom idee was. Ik wilde me net omdraaien en weggaan – hoewel ik een smak geld had geïnvesteerd in het boeket – toen er een officieel uitziende vent uit een gebouwtje met de tekst *Portiersloge* kwam.

'Kan ik je misschien helpen, jongedame?'

'Geen idee. Ik bedoel, ik ben op zoek naar een graf... van Johan Peeters.'

'Onlangs ter aarde besteld?' vroeg hij in officieel begrafenisjargon.

Ik knikte. 'Deze week.'

Hij keek op een lijst. 'Ik zie het al. Afgelopen donderdag. Je kunt hem aan het einde daarginds vinden.'

Hij wees me de juiste richting en keek me na terwijl ik het hoofdpad afliep in de richting van de spoorbaan, in de verte nog net zichtbaar. Ik kwam een aantal keer in de verleiding om me om te draaien en weg te lopen. Maar elke keer als ik achterom keek, stond de man nog steeds naar me te kijken en gebaarde hij me verder te gaan.

Ik liep verder onder de afkeurende blik van stenen engelen. Tussen de grootse familiemausoleums die veel weg hadden van miniatuurpaleisjes. Langs de gezellige dubbele graven met gebeeldhouwde marmeren grafzerken en plastic bloemen van geliefden. Er lagen hier duizenden graven. Oude grafzerken, schots en scheef, met ouderwetse namen zoals

Beatrijs en Gijsbert, voorzien van grootse woorden waarvan ik zeker wist dat de overledenen ze in levenden lijve nooit gebezigd hadden. Ik vervolgde mijn weg langs nieuwere graven, met vers uitgehakte letters. Sommige graven werden zo te zien zelfs nog verzorgd.

Eindelijk kwam ik bij een open plek waar het pad bezaaid was met modder en voetafdrukken. Te midden van deze plek lagen bossen verse bloemen en een eenvoudig wit kruis met de woorden:

Johan Peeters
? – 2005

Ik staarde naar het graf en voelde me een volslagen idioot. Ik vroeg me af of ik een gebedje moest zeggen, of zoiets. Maar ik ben niet echt religieus en ik weet bijna zeker dat Johan dat ook niet was. Op dat moment reed er een trein voorbij. Ik was blij voor Johan dat er zo'n opmonterend alledaags geluid zijn graf passeerde. Het brak op een enigszins vrolijke manier de stilte van de begraafplaats.

Ik boog net voorover om mijn boeket toe te voegen aan de stapel bloemen toen ik een stem hoorde. Eerlijk waar, ik maak geen geintje, ik viel bijna flauw van de schrik.

Ik draaide me bliksemsnel om en zag een vent een paar meter bij me vandaan staan. Hij zag er vreemd uit in zijn zwarte, lange regenjas die tot bijna op de grond reikte. De jas hing los en onthulde een zwarte sweater en een zwarte spijkerbroek. Op zijn zilvergrijze moonboots na was hij helemaal in het zwart gekleed.

'Het spijt me als ik je heb laten schrikken', zei hij.

Er viel een stilte. Hij keek bedachtzaam naar de bloemen en

nam ze van me over. 'Mooie bloemen. Johan zou ze mooi gevonden hebben.'

Ik knikte, sprakeloos.

Oké, laat ik het maar toegeven. Ik was niet alleen in shock. Weet je, ik hoop dat dit niet geheel smakeloos klinkt, gezien de omstandigheden, maar geloof me als ik zeg dat deze gast onder zijn zwarte outfit er érg fit uitzag. Ik bedoel, hij was echt ont-zettend knap. Lang, goed gebouwd, warrig haar dat eruitzag alsof het gehighlight was, een zweem van stoppels en de meest hypnotiserende helblauwe ogen die ik ooit gezien heb. Hij was het soort man van wie je droomde dat je hem ooit zou ontmoeten, maar wat nooit gebeurt. En het vreemdste was nog wel om hem hier tegen te komen. Uitgerekend op een begraafplaats. Bizar.

'Ik dacht dat hij wel van iets vrolijks en kleurrijks zou houden. Ze zouden hem opvrolijken. Ik bedoel, als hij nog leefde.'

De man leek niet afgeschrikt door deze ontzettende flut-uitspraak. Hij knikte alleen maar en zei: 'Waren jullie vrienden?'

'Ja... nee... niet echt', zei ik. 'Ik zag hem elke dag vanuit de bus, op weg naar... En op zaterdagen ging ik altijd naar... naar de stad en...' Djeezes, ik ging natuurlijk niet bekennen dat ik nog steeds op school zat of... Horror! dat ik hem kleingeld gaf. 'Ik bedoel eigenlijk dat ik hem niet kende, nee, niet echt', eindigde ik nogal slap.

'Johan was een onafhankelijk, vrij wezen...'

Ik knikte.

'Totdat dit met hem gebeurde.'

'Klopt...'

'Ironisch, vind je niet. Een man kan zijn hele leven vechten voor het recht om geen vaste woon- of verblijfplaats te hebben – steeds voor de rechter gesleept worden of in de bak gegooid, aangehouden en lastiggevallen, nooit eens rust. Dan komt er iemand die hem voor eens en altijd beet heeft. Hem vastpint, voor eeuwig. Hem inkapselt en een grote, officiële grafsteen bovenop hem plaatst. De arme kerel.'

Zo had ik het nog niet bekeken. Maar ik knikte instemmend.

'Wilde het met eigen ogen zien.'

'Tuurlijk. Dat is ook waarom ik hier ben, zeg maar', zei ik.

Inmiddels blies een koude wind over de begraafplaats en voelde ik ook een paar druppels. Ik frunnikte aan de rits van mijn jas.

De jongen boog voorover en legde mijn bloemen nadrukkelijk in het midden van het graf, deed een stapje naar achteren en bekeek zijn werk met een norse blik.

Ik bleef wachten en voelde me behoorlijk ongemakkelijk.

Opeens, nogal onverwacht, draaide hij zich om en keek me aan.

'Het regent', zei hij.

'Ja, ik weet het.'

'Denk dat we dan maar eens moeten gaan.'

'Ja.'

De manier waarop hij 'we' zei, bezorgde me een soort van huivering.

We liepen zwijgend terug naar de ingang. De begraafplaats zag er nogal kil en treurig uit in de regen. Opeens leek een crematie een vrolijker optie. Stralend en warm in vergelijking.

'Zou beter geweest zijn als hij gecremeerd was, denk je niet?'

'Of geüpload', mompelde hij.

'Geüpload?'

'Ja. Geüpload.'

'Wat bedoel je daar nou weer mee?'

Onze ogen vonden elkaar. Het was net alsof ik wegzonk in diepe meren ijswater. Jezus, deze vent was echt zó ontzettend knap.

'Dat interesseert je toch niet', zei hij en hij schopte een steen het pad op. Hij boog voorover, pakte een andere steen en gooide hem zo ver en hard als hij kon.

We waren bijna bij de uitgang van de begraafplaats. En ik wist zeker dat hij ervandoor zou gaan en, met het geluk dat ik altijd heb, dat ik hem nooit meer zou zien. Aan de andere kant van de straat was een café. En het regende inmiddels behoorlijk hard.

'Ik doe een moord voor een kop warme chocolademelk', zei ik.

Vijf minuten later zaten we aan een vettig tafeltje met twee geschilferde mokken hete chocomel tussen ons in. Ik begon me af te vragen of dit kwalificeerde als aanpappen. Ik bedoel, ik pap nooit aan met jongens, dat is geheel tegen mijn principes. Ik zie het zo: als de mannelijke exemplaren waarderen wat ze zien, dan mogen ze daar ook moeite voor doen en spreken zij mij maar aan. En als ze dat niet doen, heb je sowieso een sukkel te pakken. Maar het was nu ook weer niet zo dat ik aangeboden had een warme chocolademelk voor hem te betalen. Hij was gewoon meegelopen. En hij had twee KitKats gekocht, een voor hem en een voor mij. Dus op zich stonden we quitte.

Maar goed, al snel hadden we de basisdingen besproken. Dat we allebei een naam hadden bijvoorbeeld. Zijn naam was Los. Een nogal ongebruikelijke naam, maar ik kwam er al snel achter dat hij helemaal nogal vreemd was. Weet je, als

hij me verteld had dat hij een buitenaards wezen was dat net
een noodlanding had moeten maken op de begraafplaats en
dat ik de eerste mens was die hij tegen was gekomen, dan
was het hele verhaal, eerlijk gezegd, veel geloofwaardiger
geweest.

Hoe dan ook, ons eerste met horten en stoten gevoerde en
vooral tenenkrommende gesprek ging ongeveer als volgt:

'Zeg, wat is al dit up-gedoe waar je het over had?'

'Uploaden?'

Ik knikte.

'Dat interesseert je toch niet.'

'Dan had ik er niet naar gevraagd, toch?'

'Nee... het duurt veel te lang om uit te leggen, je zou het toch
niet begrijpen.'

'Waag een poging.'

Hij nam een slok chocomel en boog voorover. Terwijl hij met
de veters van zijn moonboots speelde, keek hij me van opzij
lang aan.

Jezus, deze vent was echt a-dem-benemend. En ik geloof niet
dat ik mezelf op zit te hemelen als ik zeg dat hij mij ook wel
zag zitten. Ik bedoel, er hing echt zo'n geladen sfeer tussen
ons.

Of misschien verbeeldde ik het me allemaal wel.

'Weet jij iets over infotec?' vroeg hij terwijl hij mij onder-
zoekend aankeek.

O nee, hij staarde toch niet naar mijn neus, of wel? Op zich
had ik met de coverstick mijn neus goed ingesmeerd, maar ik
had natuurlijk wel in de regen gelopen...

'Ja, nou, een beetje.' Ik bevond me op glad terrein hier.

Hij haalde zijn schouders op.

'Een beetje! Zoals ik al zei. Het zal je echt niet interesseren.'

'Nee, zo bedoelde ik het niet. Echt. Ik vind het ontzettend fascinerend allemaal – geweldig interessant...' riep ik snel. Jezus, misschien klonk dit wel een beetje te ijverig en overdreven.

Weet je, het probleem met dit hele relatiegedoe is als volgt. Jongens die echt ontzettend vreselijk aantrekkelijk zijn, zijn nooit echt in jou geïnteresseerd. Ze zitten altijd achter een meisje aan dat nog knapper is dan zijzelf. En die enkele, zeldzame keer dat een 'strakke' jongen wel interesse toont, begin je meteen te twijfelen en vraag je jezelf af of hij echt wel zo 'strak' is als hij lijkt. Je krijgt het hoe dan ook nooit voor elkaar. Tenminste, zo deprimerend was het mij tot nu toe vergaan. Maar deze keer was het anders. Dat kon ik me toch niet alleen maar inbeelden. Ik voelde gewoon dat Los me echt leuk vond. En ik hoef je niet uit te leggen wat ik van hem vond.

'En wat vind je er zo geweldig interessant aan?' Hij plaagde me half en toch ook weer niet. Ik denk dat ie me aan het testen was.

'Ik heb nog wel een boel te leren', krabbelde ik terug. (Op dat moment verscheen er een gemeen beeld van de 'bom' in mijn gedachten. Maar dat negeerde ik.) 'Dus ga verder. Vertel eens wat meer.'

Hij haalde zijn schouders op en ging verder: 'Uploaden is het tegenovergestelde van downloaden.'

'Ik begrijp het', zei ik, maar eerlijk gezegd begreep ik er niets van. Dus gebruikte ik de zin die ik van papa geleerd had om meer informatie te krijgen zonder als een volslagen nitwit te klinken: 'Dus wat houdt uploaden precies in?'

'Inhouden?' zei hij langzaam, alsof hij het woord nog nooit gehoord had. '*Precies* inhouden?'

'Ik bedoel,' stamelde ik, 'wat betekent uploaden in hemelsnaam?'

'Oké', zei hij, terwijl hij achteroverleunde op zijn stoel en mij
berekenend aankeek. 'Luister goed.'

Er volgde een waterval van niet te begrijpen technogewauwel.
De woorden vielen over elkaar heen. Maar de toon van zijn
stem was ronduit zakelijk, alsof hij ervan uitging dat ik het
toch niet zou begrijpen en hij eerlijk gezegd ook geen zin
had om het me echt uit te leggen. 'Uploaden betekent zoiets
als dat je al je data omzet in bits en die vervolgens door de
computer laat scannen, zodat je entiteit overgebracht kan
worden naar het datanetwerk.' Hij stopte, pauzeerde en nam
een slok van zijn chocomel. Een verrukkelijke rand schuim
bleef op zijn bovenlip achter. Jezus, wat was het toch een
lekker ding.

'Volg je het nog?'

'Hm, ja, absoluut.'

Hij fronste en ging verder. 'Als je eenmaal geüpload bent, kun
je simpelweg op de golven surfen. In het datanetwerk ben
je gewoon informatie net als al het andere. Tijd en ruimte
hebben geen betekenis hier. Je kunt, bijvoorbeeld, eeuwig
over het net surfen.'

Het net! Ik kon mijn oren niet geloven. Het internet is voor
sukkels. Voor computerfreaks zoals Tommie en al die andere
eenzame mensen die hun hele leven bezig zijn met opzoeken
wat voor weer het in Rio is, of welke kleur onderbroek
wereldwijd nu het hipst is. Is surfen op het internet niet de
eenentwintigste-eeuwse variant van postzegels verzamelen?

'Is dat niet een beetje... saai?'

'Soms wel, soms niet. Hangt van de golven af', zei hij schou-
derophalend.

'Maar dat is vast niet waar je de hele dag mee bezig bent', ging ik argwanend verder. 'Surfen?'

'Er zijn ook andere dingen. Zoals muziek – ik zing en speel keyboard, in een band.'

Dit klonk geruststellend.

'Zou ik van jullie gehoord kunnen hebben?'

'We zijn net klaar met onze eerste wereldtournee.' Het was duidelijk dat hij indruk op me probeerde te maken, zonder al te duidelijk te zijn. Maar eigenlijk val ik niet op dit soort stoerdoenerij. Ik had harde feiten nodig. Hij moest met iets beters komen dan dat.

'Dan moet ik van jullie gehoord hebben', probeerde ik.

'Hangt er van af...' zei hij. Hij zat te spelen met de knijpfles met tomatenketchup. Hij kneep erin totdat er een druppel tomatenketchup uit de opening verscheen om vervolgens de fles los te laten, zodat de druppel weer naar binnen gezogen werd.

'Fantastisch', zei hij.

'Wat is er fantastisch?'

'Eenvoudige pneumatiek. Geen mechanica, geen aandrijving en toch werkt het.'

'Kijk, dat is nou ketchup!' zei ik toegeeflijk. Deze vent was echt uniek. Ik bedoel, nogal maf, niet?

'Hoe dan ook', zei ik, om hem weer op het oorspronkelijke onderwerp te krijgen. 'Waar hangt het van af?'

'Of je een aanbieder hebt of niet.'

Op de een of andere manier had ik het idee dat hij het niet over koopjes had.

'Aanbieder.'

'Yep.'

Ik kwam niet veel verder met deze tactiek en wilde niet dom

overkomen. Als hij me gewoon aan het plagen was – een grapje met me uithaalde – waar jongens zo dol op zijn, dan was ik niet van plan zo makkelijk voor de bijl te gaan. Aan de andere kant, als hij wel serieus was, wilde ik niet al te dom klinken. Hoe dan ook, dit ging ik niet winnen.

'Hoe heet die band van je eigenlijk? Waar kan ik jullie tegenkomen?'

'Ik geef je ons nummer wel even. Heb je een papiertje?'

Ik vond een oude enveloppe en rommelde in mijn tas op zoek naar een pen.

Ik geloofde mijn oren niet. Ik zat tegenover de meest adembenemende, verrukkelijke, mannelijkste man die ik ooit gezien had en *hij wilde mij zijn nummer geven*! Eindelijk vond ik een afgekloven balpen.

Hij pakte de enveloppe aan en bekeek die uitgebreid. Met zijn duim pulkte hij aan de postzegel.

'Slakkenpost', zei hij, alsof hij nog nooit een enveloppe gezien had. Ik gaf hem de balpen. Hij peuterde het het knopje uit de pen en drukte het er weer in.

'Een authentiek exemplaar.' Hij schudde zijn hoofd en glimlachte. Rare vent.

Vervolgens schreef hij uiterst langzaam en nauwgezet op de enveloppe en gaf die terug aan mij.

Onze blikken kruisten.

'Dank', zei ik. Mijn knieën knikten terwijl ik opnieuw een oogverblindende flits ijsblauw opving.

'Zo... volgens mij is het gestopt met regenen', zei hij.

Hij pakte zijn regenjas en zei megaterloops: 'Zoek ons een keertje op.'

Hij verliet het café zonder ook nog maar een keer om te kijken.

'Zoek ons een keertje op.'

Ons? De band waarschijnlijk. Nou ja, ik had in ieder geval zijn nummer gekregen.

Maar was dat wel zo? Het enige wat er op de enveloppe stond was: *http://www.love@3001ad.com*.

'Fantastisch...'

3

Toen ik thuiskwam stond er een bericht van Franz op het antwoordapparaat. De strekking van de boodschap: haar afwezige vader, die zich meestal ergens in Zwitserland schuilhoudt, was weer opgedoken. En hij trakteerde op een etentje voor Franz haar verjaardag. Op zaterdag.

Ik belde Franz meteen terug.

'Hij heeft gezegd dat we met z'n achten uit eten mogen en dat hij betaalt. Vet, of niet?'

'Wie nodig je allemaal uit?'

Franz somde een rijtje op van de voor de hand liggende gasten. De lijst was als volgt:

Mannen:

Alex: door iedereen aangewezen als de meest sexy keuze op het huidige mannenmenu, en of ie dat zelf ook weet! Maar goed om mee samen gezien te worden, want als andere jongens denken dat hij jou vet vindt, dan stijg je ook mega in hun lijst.

Tommie: misschien niet een heel voor de hand liggende keuze, maar hij is de laatste tijd flink gegroeid, dus we steken niet meer ver boven hem uit. En doordat hij afgelopen zomer op een biologische boerderij heeft gewerkt, waar ze helemaal weg waren van duurzame energie en hem als een soort menselijke vorkheftruck gebruikt hebben, heeft hij zelfs spierballen gekregen. Na zijn boerderijavontuur heeft Franz zich over hem ontfermd en hem, eindelijk, de basis geleerd. Bijvoorbeeld hoe je een meisje tegen een muur ondersteunt als je haar zoent. Zodat je dus niet omvervalt als de passie toeneemt. En op miraculeuze wijze was zijn acne van de ene op de andere dag verdwenen. Erg vreemd.

Johan (de halfbroer van Franz): onmisbaar aangezien hij het hele uitgaansleven kent en ons dus gratis een gelegenheid binnenkrijgt waar we kunnen chillen na het eten. Nadeel is wel dat zijn vriendin Lulu dan dus ook gevraagd moet worden. Lulu heeft een vreselijk kleinmeisjesstemmetje en wil graag model worden. Ze kan alleen niet vroeg genoeg haar bed uitkomen om ook daadwerkelijk naar een auditie voor modellen te gaan.

Vrouwen (we zijn met drie meiden die al sinds de eerste klas samen optrekken en nooit iets doen zonder de andere twee): Franz (Fransien): onze gastvrouw deze avond. Zij heeft in feite de meeste aantrekkingskracht van dit triomfantelijke trio. Waarom? Franz hoeft geen push-upbeha te dragen om op te vallen en haar benen mogen er ook wezen.

Henny (Henriëtte): van wie we altijd gedacht hebben dat ze een bolleboos zou worden omdat ze natuur- en scheikunde helemaal fantastisch vindt. Maar die ons heeft verrast door opeens, van de ene op de andere dag, benen van bijna negentig centimeter te kweken en de jukbeenderen van Paris Hilton te hebben. Henny wordt dan ook beschouwd als een stuk.

Ik: Ik durf mijn vingers eigenlijk niet te branden door mezelf langs de meetlat te leggen. Een zeventje, misschien, met af en toe briljante momenten, beetje variabel. Ik denk dat als ik mijn best doe en opgemaakt ben en klaarsta om uit te gaan ik misschien wel rond de acht scoor...

Of misschien is een zeven toch realistischer...? *Als ik klaarsta om uit te gaan* – opeens kreeg ik een vreselijke inval...

'Wacht even, ik bel je zo terug!'

'Ma-am', riep ik naar beneden.

Blijkbaar was ze opeens doof geworden of zo...

Ik riep nog een keer.

Uiteindelijk hoorde ik van beneden: 'Riep je me?'

'Eerlijk gezegd wel, ja.'

'Kun je dan alsjeblieft netjes roepen?'

'Hoe bedoel je, netjes?'

'Hoe vaak heb ik je al gevraagd om dat vreselijke woord niet meer te gebruiken?' Mijn moeders gezicht kwam in beeld. Het had een beledigde uitdrukking.

'Maar "mammie" is zó ontzettend kinderachtig.'

'En "mam" is zo...' stokte ze.

'Zo wat?'

'Zo', ze zocht naar een politiek correcte manier om een klas-senonderscheid te maken. (Die bestaat niet.)

'Iedereen in onze familie heeft altijd mammie gezegd tegen mammie', ging mammie verder, alsof hiermee de kous af was.

'Het klinkt belachelijk op mijn leeftijd.'

'Wat stel je dan voor? Wil je me voortaan Caroline gaan noemen? Eerlijk waar, ik weet niet waar jij de laatste tijd last van hebt, Justine...'

'Ik heb nergens last van. Het is nu eenmaal zo dat tijden veranderen, *lieve Caroline*.'

'Toen ik zo oud was als jij...' begon ze.

Ik onderbrak haar voor ze op volle toeren kon komen.

'Luister alsjeblieft even. Ik heb een probleem. Franz geeft zaterdag een verjaardagsetentje en ik heb niets om aan te trekken – echt letterlijk niets!'

Er klonk een nieuwe berustende zucht.

'En wiens schuld is dat?'

Voor ik de kans kreeg om tot concrete financiële afspraken te komen, ging de telefoon weer. Franz hing opnieuw aan de lijn. Ze had even snel een optelsom gemaakt en was tot de conclusie gekomen dat we nog maar met z'n zevenen waren. Of ik nog iemand wist om mee te nemen naar het etentje?

Of ik nog iemand wist? Ik had een visioen van hypnotiserende blauwe ogen. Was het überhaupt mogelijk om aan iets anders te denken?

Snel gaf ik Franz een beschrijving van Los zijn uiterlijk, stijl en seksuele potentie.

Ze was gepast onder de indruk.

'Zeg, wat doet deze gozer? Zit hij nog op school of de universiteit, of zo?'

Misschien dat ik een heel klein beetje overdreven had in hoe goed ik hem kende. Ik was niet van plan Franz te vertellen dat ik echt geen idee had, dus zei ik: 'Hij zit in een band. Hij zingt en speelt keyboard.'

'Wauw! Wat voor muziek spelen ze?'

Dat was een lastige vraag.

'Voornamelijk elektronisch', improviseerde ik. 'Psychedelische techno met een beetje jungle, soort van indie met een mix van britpop.' (Volgens mij moest dat zo'n beetje alles wel dekken.)

'En ze noemen zichzelf zeker Ratjetoe?'

Ik negeerde deze opmerking waardig.

'Hun muziek is eigenlijk behoorlijk radicaal.'

'Zeg dat wel! Oké. Nodig hem maar uit. Weet je hoe je hem kunt bereiken?'

'Tuurlijk. Geen probleem', zei ik.

Ik belde direct met Tommie.

'Tommie. Luister, je moet me helpen.'

'Als je wilt dat ik weer naar je school bel, dan kun je het wel vergeten. De laatste keer dat ik voor je gebeld heb, weet ik zeker dat ze me niet geloofden...'

'Onzin. Je doet mijn vader echt perfect na... Maar daarvoor bel ik niet. Ik ben wanhopig. Ik ben op zoek naar een man.'

'Zoek niet verder. Ik kan met vijf minuten bij je zijn. Wil je eerst een massage? Of meteen seks?'

'Doe nu even normaal, voor een seconde, alsjeblieft.'

'Dus je bent niet op zoek naar mijn lichaam. Balen. Grien. Oké. Zeg het maar.'

Ik vertelde hem van mijn ontmoeting en gaf hem een milde beschrijving van Los' ogen, lichaam, kleding en algemene capaciteiten. Iets wat geschikt is voor mannelijke oren. Tommie werd er helemaal stil van.

'En deze "lul-op-poten" heeft jou zijn e-mailadres gegeven?' Ik negeerde zijn botte opmerking en streek de enveloppe glad. (De enveloppe was behoorlijk gekreukt doordat ik die nogal dicht op mijn huid had gedragen). Ik las het adres voor.

'Nou ja, je kunt altijd nog een e-romance hebben', zei Tommie met een gevoelloos gesnuif vol pret.

'Het is de bedoeling om hem echt te vinden', wees ik hem terecht. 'In levenden lijve.'

'Dat kon nog wel eens lastig worden.'

'O, alsjeblieft. Je kunt het. Je bent zo geniaal in dit soort dingen.'

Tommie was niet zo makkelijk te paaien. 'Dat kun je zelf ook. Je vader heeft echt een fortuin uitgegeven aan elektronica op dat gebied. Waarom zoek je die eikel zelf niet op?'

'Klein probleempje.' Ik vertelde hem over de bom.

Tommie floot zachtjes tussen zijn tanden door.

'Eerlijk waar, Justine, hoe heb je dat voor elkaar gekregen?'

'Hoe moest ik weten dat die grijze sticks geen gewone sticks waren? Kunnen we het niet bij jou thuis opzoeken?'

'Mijn systeem is zo oud dat het al een halfuur duurt voordat je het menu op je scherm hebt.' Even leek het erop dat hij zou wegzinken in een van zijn buien over hoe slecht het was gesteld met zijn technologische status. Maar hij krabbelde er weer uit en riep: 'Weet je wat, we kunnen elkaar in Cyberspace ontmoeten.'

'Stop maar met dat technogeleuter. Vertaling a.u.b.'

'Cyberspace is een café. Daar hebben ze de laatste snufjes. Rijen met monitoren die je per uur kunt huren. We kunnen morgen afspreken. Drinken we daar eerst een kop koffie en dan gebruiken we hun spullen om op het net rond te neuzen – dat e-mailadres opzoeken en meer van dat soort dingen.' 'Vet. Waar zit die tent?'

Die tent zat, hoe kon het ook anders, verstopt in een steegje in de wijk met al die videotheken en elektronicawinkels in de buurt van de Algemene Begraafplaats. Ik baande me een weg door de menigte op koopjes beluste elektronicafanaten.

Het café had een uithangbord met in flikkerende neonletters de naam: CYBERSPACE. Aan de rook te zien die door de open deur naar buiten gewalmd kwam, was het een populaire tent. Ik bleef aarzelend op de drempel staan. Ken je die caféscène uit die *Star Wars*-film? Dat café dat helemaal aan het andere

eind van het universum lag en vol zat met buitenaardse
wezens? Echt, ik zweer het je, Cyberspace is een variant
daarvan hier op aarde. Hier ontmoeten de nerd en de freak
elkaar. Het zat er helemaal vol mee. Allemaal met gebogen
hoofd en volledig gefocust op het oplichtende scherm voor
hun neus.

Behalve het zacht tikkende geluid van vingertoppen die over
het toetsenbord gleden, hoorde je niets.

Tommie was nergens te bekennen. Typisch! Ik liep stilletjes
naar de bar en voelde me totaal niet op mijn gemak.

Het meisje achter de kassa bekeek me met een bedenkelijke
blik. 'Kan ik je ergens mee helpen?'

Hé, dit was gewoon een café, of niet? Een glazen stolp met
een assortiment koeken en cakejes op de toonbank en een
plank met doosjes thee tegen de wand bevestigden dat. Erg
geruststellend.

'Heb je een kopje thee voor me?' vroeg ik.

'Welke smaak?'

'Wat heb je voor keuze?'

'Kamille, rozenbottel, munt, kaneel en appel...'

'Heb je ook gewone thee...?'

'Wil je tijd?'

'Tijd?'

'Op het net?'

'O, dat! Ja, zeker.'

'Dat is dan drie euro vijftig voor een halfuur. Is dit je eerste
keer?'

Ik voelde me opgelaten en had het erg warm. Verschillende
gezichten draaiden onze kant op.

Toegeven dat je een digibeet bent terwijl je in een internet-
café staat is écht heel gênant.

'Geen probleem. Ik gebruik normaal de Apple Mac van mijn vader', zei ik en hoopte dat er enig zelfvertrouwen in doorklonk.

'Oké. Ik reserveer een monitor voor je. Kijk maar hoe het gaat.'

Ik kreeg een barkruk voor een kleurenmonitor toegewezen. Deze monitor leek in niets op wat papa thuis had staan.

Op het scherm stond in elektronische kleuren: *Welkom bij Cyberspace - jouw toegangspoort tot het net.*

'Je kunt gewoon klikken op waar je naartoe wilt. En als je hulp nodig hebt, geef je een van ons maar een gil', zei het meisje.

Ik nam een slokje thee als mentale voorbereiding en klikte op het eerste vakje. Dit vakje bevatte de tekst *e-mail*. Het scherm reageerde overdreven heftig en bijna alles verdween. Het enige wat overbleef was een blanco scherm met een heleboel kleine vakjes aan de bovenkant van het scherm. Ik wachtte tot er nog iets ging gebeuren. Er gebeurde helemaal niets. Naast me zat een jongen onwijs intens te typen. Het ging zo snel dat je niet eens de pauzes tussen de aanslagen van zijn vingertoppen kon horen.

Ik keek rond op zoek naar het cybermeisje, maar ze was verdwenen. Dit was echt vreselijk. Ik had me niet meer zo gevoeld sinds die keer dat ik aan mijn proefwerk wiskunde moest beginnen. Ik voelde gewoon hoe iedereen in het café doorhad dat ik niets zat te doen.

Waar was Tommie in vredesnaam?

Overal om me heen voelde ik glazige, op monitors gefocuste blikken me insluiten. Ik pakte mijn tas op. De kostbare enveloppe waar Los zijn e-mailadres op geschreven had, zat goed weggestopt in een geheim vakje.

Mijn tas heeft zo'n heel lange schouderband. En ongeluk-
kigerwijs bleef de schouderband ergens achter haken. Dus
gaf ik een flink harde ruk. Op dat moment vloog de jongen
naast me van zijn barkruk. Het was niet echt mijn schuld. Ik
bedoel, die tassen zouden een veiligheidswaarschuwing of
zoiets moeten hebben.

Hoe dan ook, toen we hem eindelijk los hadden gekregen
uit de schouderband en hij weer op zijn barkruk zat, en we
ontdekt hadden dat hij niet gewond was, en ik een kop thee
voor hem gekocht had en de commotie weer voorbij was,
arriveerde Tommie.

'Wat ben ik blij je te zien.'

'Wat fijn. Wat is er aan de hand? Waarom zit alles onder de
thee?'

Het cybermeisje dat de thee rondom ons aan het opdweilen
was, wierp vanonder een opgetrokken wenkbrauw een blik in
mijn richting.

'Waar bleef je nou?' siste ik.

'De Enterprise. Hij is waarschijnlijk uit zichzelf vertrokken. Ik
heb hem overal gezocht en vond hem uiteindelijk onder mijn
bed.'

Uitleg: Tommie heeft een *Star Trek*-wekker. Het is zijn
dierbaarste bezit. Het is de enige wekker die hem 's ochtends
uit bed krijgt. De wekker ziet eruit als een ruimteschip met
flitsende lampjes en zo. En als de wekker afloopt, hoor je de
stem van Spock die zegt: 'De Enterprise wordt aangevallen.
Sta op en dóé iets!' En de wekker kan het ook in Klingon.
Ik denk dat toen Tommie de wekker kocht, hij – geheel
onterecht – dacht dat deze aankoop hem een bepaalde aantrekkingskracht zou geven, of zo. Iets in de trant van 'Word
naast me wakker en je weet niet wat je meemaakt!' Treurig.

'Ik zie dat je duidelijk hebt laten merken dat je er bent', zei Tommie toen hij het blanco scherm een blik toewierp.

'Ja, ja, laten we nou maar opschieten. Zo meteen is onze tijd op.'

'Oké. Heb je het adres? Typ het in dan.'

Uiterst professioneel tikte ik: *http/www/love:@//3001ad.com*.

Tommie zuchtte: 'Laat mij het maar doen. Je moet elk punt goed zetten, anders lukt het niet.'

Ik stond op en liet Tommie op mijn plek plaatsnemen. Jezus, wat waren deze machines pietluttig!

Tommie tikte: *http://www.love@3001ad.com*. Onder Tommies handen kwam de monitor tot leven.

Op miraculeuze wijze begreep de machine opeens instructies en reageerde het ding gedwee.

Op een zeer professionele manier spinde en bliepte het ding geduldig.

We moesten een eeuwigheid wachten, zo leek het. Maar uiteindelijk verschenen er gekleurde plaatjes op het scherm. Eerst zag het er heel blokkerig uit, maar langzaam kwamen er drie mensen tevoorschijn. En já, die blauwe hypnotische ogen kon je niet missen. De jongen in het midden was Los. Maar het waren niet zijn ogen waar ik naar keek. Ik staarde naar de tekst op zijn T-shirt. Ze hadden alle drie zo'n T-shirt. Er stond: LOVE.

'Kijk nou', zei ik. 'Dat is echt maf, joh. Dat logo op hun T-shirts. Ik kom het echt overal tegen! LOVE. Dit is echt bizar toeval. Net alsof het *voorbestemd* is of zo.'

Tommie haalde zijn schouders op. 'Het is gewoon een TLA – het zijn de eerste letters van de bandnaam. Kijk maar, de volledige naam staat eronder: Lords of Virtual Existence.'

'Maar het is echt vreemd, weet je. Het is gewoon...' Ik had er geen woorden voor.

'Suf?' opperde Tommie.

Oké, het was duidelijk waar dit naartoe ging: een voorspelbaar potje mannelijke concurrentiestrijd. Ik negeerde zijn opmerking en bestudeerde het scherm. Naast Los stonden nog twee mensen. Een enorme gast in een zwarte leren wambuis op drums en een meisje met paarsbruine lippen en, zo te zien, donkerblauw haar. Maar misschien leek dat zo door de slechte kwaliteit van die elektronische kleuren.

Mijn blik dwaalde weer naar Los. Jezus, wat was het toch een lekker ding.

'Luister, ik moet erachter komen waar ik hem kan vinden. Hoe doe ik dat?'

'Tja, we kunnen op zijn e-mailadres klikken en zijn adres vragen', zei Tommie. 'Tenminste, als jij echt denkt dat hij die moeite waard is. Op mij komt hij over als een ontzettende sukkel.'

'Toevallig vind ik het de moeite waard, ja', zei ik.

'Lords of Virtual Existence', snoof Tommie. 'Jezus, wat een watjes.'

'Laten we nu maar opschieten, straks is onze tijd om.'

Tommies toon stond me echt helemaal niet aan – over watjes gesproken.

Hij begon als een idioot met de muis te klikken en tikte het volgende bericht:

Contact nodig.
Verzoek om huidige locatie.
Reageer via http://www.tlcjd@cyberspace.nl.

'Nou, dat zou het hem moeten doen.'

'En wat is de volgende stap?'

'Hangt ervan af wanneer zij hun e-mail checken. Kan wel tot morgen duren.'

'Fantastisch!'

'Maar voor hetzelfde geld,' zei hij terwijl zijn oog viel op de chocoladecake onder de stolp, 'zitten ze nu wel achter de computer. Dus kunnen we net zo goed wachten tot onze tijd op is.'

Ik kocht een plak chocoladecake en een cappuccino voor hem en nog een kop thee voor mezelf. Jezus, dit grapje kostte me een fortuin. We staarden naar het scherm terwijl Tommie at.

'Goeie tent hiero', zei Tommie tussen het kauwen door.

Ik keek somber om me heen naar de andere gasten. Gezien hun algehele toestand zou ik zo zeggen dat cyberkromme-rug-syndroom dé epidemie van de nabije toekomst zal zijn. De meesten van hen waren in ieder geval hard op weg om serieuze rugklachten te krijgen.

Wat een tijdverspilling, dacht ik.

Net toen we op het punt stonden het voor gezien te houden, kwam het scherm voor ons tot leven.

Van: http://www.love@3001ad.com
Aan: http://www.cndjd@cyberspace.nl
Wij zijn de Lords of Virtual Existence.
Wie zijn jullie?

Tommie en ik keken elkaar aan.

'Denk niet dat ze megageïnteresseerd zullen zijn als we zeggen dat we twee sukkels zijn die in Cyberspace zitten', zei Tommie.

Ik haalde mijn schouders op. 'Daar heb je een punt. Misschien moeten we onszelf een beetje interessant maken.'
'Laat dat maar aan mij over', zei Tommie. En hij begon te typen.

Van: C. Nuys-Dircx Jr. van Spielberg Producties nv
Aan: Lords of Virtual Existence.
Contact gewenst over mogelijk platencontract
Graag adres IRL verstrekken

'Nou, dat zou moeten werken', zei hij.
Wat is IRL?'
'*In Real Life*', zei Tommie met een diepe zucht. 'Je weet ook echt helemaal niets hè?'
We hoefden niet lang op een antwoord te wachten.

Van: Lords of Virtual Existence
Aan: C. Nuys-Dircx Jr. van Spielberg Producties nv
Ons IRL-adres is:
Zonderlingh Snuijterlaan 67.

'Ik begrijp waarom ze dat liever voor zichzelf houden', zei Tommie.

4

Het was allemaal goed en wel dat ik het adres van Los had. Maar het probleem was: wat te doen met deze vitale informatie?

De mogelijkheden waren talloos. Ik overwoog ze een voor een, in willekeurige volgorde. Ik kon een sporttas vullen met stofdoeken en dergelijke. En dan bij hem aanbellen en mezelf voordoen als een deur-tot-deurverkoper. Ik kon een zaterdagbaantje zoeken bij een van de winkels in zijn buurt. Ik kon op de hoek van de straat *Straatnieuws* gaan verkopen. Of met mijn slaapzak in een nabijgelegen portiek bivakkeren. Of misschien moest ik gewoon in zijn straat staan wachten tot hij naar buiten kwam en dan net doen of ik daar toevallig langsliep.

Op de een of andere manier hadden al deze mogelijkheden niet de inspirerende kwaliteiten van hoe ik onze ontmoeting als ideaal in gedachten had.

Ik moest hem op een of andere manier 'per ongeluk' op neutraal terrein tegen het lijf lopen. En zo belandde ik dus op een natte zaterdagochtend in het metrostation.

Het uitwerken van dit plan had wat voeten in de aarde gehad. Een van de grootste problemen was geweest te beslissen wat ik aan moest trekken. Ik had de hele stad afgelopen voor de juiste outfit. Ik had zoveel verschillende kleren gepast dat verkoopsters me begonnen te herkennen en zich uit de voeten maakten als ik een winkel binnenkwam. Ik had de 'retro-hetero nauwsluitende minidijlaarzen'-trend geprobeerd en de Ralph Lauren 'ruime ruige vest'-look. En hightech-sportief-chic en flirterig-donzig-mooi meisje en hip-kunst-punkmeisje en zelfs de 'hippie zweverig bloemen-meisje Didi'-look. Ik had synthetisch, gothic en etnische invloeden geprobeerd. Ik had mijn lichaam in en uit mohair, angora, rubber, leer en acryl gewurmd. Ik was zelfs terug naar de winkel van het Leger des Heils gegaan om een aantal spullen die ik weggegeven had aan te proberen. Uiteindelijk ben ik naar huis gegaan en heb ik eens lang en indringend in de spiegel naar mezelf gekeken. Ik had de enige kleren die ik nog bezat aan. Ondergoed van Calvin Klein, zwarte spijker-broek en een zwarte coltrui. Nou ja, ik wilde er natuurlijk ook niet uitzien alsof ik ontzettend mijn best aan het doen was, toch?

Ik had uitgevogeld dat dit metrostation de toegangspoort tot beschaving moest zijn voor mensen uit de wijk waar Los woonde. Iedereen uit deze wijk die ergens wilde komen, moest een keer dit station passeren.

Ik begon mijn eerste ronde rond halfelf. Iedereen die een beetje normaal was, kon onmogelijk al voor die tijd op en de deur uit zijn. Als snel merkte ik dat je van rondhangen en nietsdoen ontzettende trek krijgt. Tegen halftwaalf was ik al drie keer bij de natuurvoedingskiosk in het station geweest en liep ik een serieus risico op een overdosis fruit en vezels. Ik had een banaan, een zakje studentenhaver en twee hele mueslirepen opgegeten. En tegen de middag was ik al zo ervaren in het herkennen van metro's uit verschillende richtingen dat ik alleen maar naar de deuren hoefde te kijken om te weten waar een metro vandaan kwam. Rond halfeen overwoog ik of ik het risico durfde te nemen om snel naar de friettent te lopen voor fatsoenlijk eten.

Op dat moment kwam er een metro het station inlopen. Ik geloofde mijn ogen niet. In een flits zag ik een man in een zwarte regenjas achter een van de raampjes. Hij zat ineen- gedoken in een van de eerste stellen. Met zijn neus in een tijdschrift. Ja, ik wist het zeker. Het kon alleen maar Los zijn. warrige haardos met de highlights zijn.

Snel liep ik over het perron naar de coupé naast die waar Los in zat en sprong in de metro. Als een echte privédetective koos ik nonchalant positie tegen een paal op het balkon aan. Zo kon ik precies alle bewegingen van Los in de andere coupé volgen.

Ik bewoog mee met het ritme van de metro terwijl ik inwendig stijf stond van de zenuwen. Maar twee ruiten vol krassen en vastgeroest vuil scheidden ons. Hij zat nog steeds met gebogen hoofd helemaal verdiept in het tijdschrift dat hij aan het lezen was. Er gebeurde niets totdat we het centrum naderden.

Hij keek op, besefte opeens waar hij was, sprong overeind en snelde de metro uit. Op een haar na werd ik in tweeën gedeeld door de zich sluitende metrodeuren terwijl ik achter hem aan vloog.

Terwijl ik handig achter een gezette vrouw bleef hangen, volgde ik hem op een veilige afstand. Hij liep het perron af richting de roltrap. Zonder achterom te kijken liep hij door de poortjes en sloeg de Kruislaan in.

De Kruislaan is een lange, smalle weg en elke zaterdagochtend staat hier een markt. Je kunt er echt alles kopen. Leren spullen, antiek, tweedehandskleding, kandelaren en handwerk, houten speelgoed, prullaria en curiosa, zilver, sieraden, posters en reproducties, potpourri, massage-olie, gebreide dingen, fietsbrillen, ondeugend ondergoed en lichtgevende sokken. En hiertussen krioelen massa's mensen. Overal liepen mensen, van elke lengte, breedte, huidskleur, leeftijd, afkomst en seksuele voorkeur die je maar kunt bedenken. En vandaag – onder een grijze hemel waaruit gestaag motregen neerviel – spanden al deze mensen ook nog eens samen om mij het zicht te ontnemen op wat ik zo angstvallig in het zicht probeerde te houden: Los.

Ik volgde hem terwijl hij zich een weg baande langs druipende, flapperende en schreeuwende obstakels. Van tijd tot tijd verdween hij uit het zicht achter stromen vochtige koopjesjagers of drommen vermoeide toeristen rondom een hardnekkige straatartiest. Ik hield hem in het oog terwijl ik worstelde door kluwen tassen, ballonnen, honden aan lijnen, paraplu's die mijn ogen uit probeerden te prikken, kinderwagens die het op mijn enkels hadden voorzien, met hun fietsbel bellende fietsers en kleine kinderen die uit het niets opdoken. En net op het moment dat we het einde van de markt bereikt hadden, daar waar de menigte iets uitdunt, was ik hem kwijt.

Dit was het gedeelte van de markt waar de kramen steeds smakelozer werden en de mensen er verloren bij liepen. Overal op de grond lagen hoopjes afval en vettige, wegge-gooide frietzakken dwarrelden over straat. De kraampjes met tweedehandskleding gingen langzaam over in kramen die voedsel verkochten. Vanachter een stal met allerlei Caraï-bische groente en fruit – zoals bataat, rode bananen, groen fruit met stekels dat eruitzag als een bom en andere dingen die zo vreemd, knobbelig en harig waren dat ze er alleen maar konden liggen omdat ze zo exotisch waren – probeerde ik wanhopig Los te lokaliseren.

En toen spotte ik hem. Hij stak net de straat over. Mijn hart sloeg over terwijl hij verdween achter een groepje mensen die een oude piano aan het verhuizen waren. Ik was niet van plan hem nog een keer uit het oog te verliezen.

Gelukkig leek hij eindelijk op zijn plaats van bestemming aangekomen. Hij stond een beetje te draaien voor een café met de naam De Zevende Hemel. Opeens, uit het niets, keek hij naar links en naar rechts en schoot een aangrenzend trapportaal op en verdween uit het zicht.

Ik drentelde heen en weer en vroeg mezelf af wat nu te doen. Vlakbij stond gelukkig een telefooncel vanwaar ik een veilig uitkijkpunt had om de trap in de gaten te kunnen houden. Inmiddels regende het behoorlijk hard, dus stapte ik dankbaar de telefooncel in om te schuilen. Ik stond er intussen een goede tien minuten en was druk bezig de condens die elke keer aan de binnenkant van de ruit neersloeg weg te poetsen.

Iemand tikte tegen de ruit van de telefooncel. Een vrouw met een onmiskenbare 'ik moet dringend een telefoontje plegen'-blik op haar gezicht tikte met haar telefoonkaart tegen de ruit en keek me dreigend aan. Alsof ze het hoog tijd vond dat ik naar buiten kwam.

Als ik mijn huidige post niet wilde verlaten, moest ik wel iemand opbellen.

Ik haalde mijn telefoonkaart uit mijn zak en belde Franz. Haar stem klonk erg slaperig. 'Hé, goeiemorgen. Waarom bel je me in vredesnaam op dit onmogelijke tijdstip?'

'Ik moest gewoon iemand bellen. Trouwens, het is al één uur.'

'Waarom klink je zo samenzweerderig?'

Ik had helemaal niet in de gaten gehad dat ik fluisterde.

'Ik sta in een telefooncel in de stad en je raadt het nooit. Híj is in het gebouw tegenover me.'

'Wie?'

'Die gozer. Die ik voor je feestje uit wil nodigen – Los.'

'O, hij... (gaap) Wat is ie aan het doen?'

'Weet ik veel. Hij is binnen, ik sta hier buiten.'

'Wat precies?'

'Ik sta in een telefooncel.'

'Nee, niet jij, hij.'

'Hoe moet ik dat nou weten?'

'Echt, Justine, af en toe maak ik me wel eens zorgen om je...'

'Wat vind jij dat ik moet doen?'

'Ga naar binnen en nodig hem uit, als je tenminste nog steeds wilt dat hij komt.' (Opnieuw een geeuw.)

'Ik kan toch niet zomaar uit het niets verschijnen!'

'Verzin een smoes. Waar sta je nog op te wachten? Jezus, Justine, in hemelsnaam, het partijtje is vanavond. Dóé iets, voor het te laat is. Ik ga weer slapen.'

'Ik kan het niet.'

'Ik geloof mijn oren niet. Je hebt de hele week over niets anders gesproken dan deze gozer. Dit is nu dan toch je grote kans!'

'Maar wat moet ik zeggen?'

Aan de andere kant van de lijn klonk een afkeurende zucht.

'Ben je nou een complete oen of hoe zit het?'

De vrouw buiten de telefooncel roffelde nu continu met haar kaart op het raam.

'Oké. Maar het is jouw schuld als ik mezelf volledig voor schut zet op deze manier.'

Met een stevige knal gooide ik de hoorn op de haak.

Ik opende de deur van de telefooncel en ademde diep in.

De vrouw wurmde zich langs mij heen met een blik die nergens goed voor was.

Naast de trap hing een groot uithangbord met de tekst:

WYSIWYG UNIT 22
PC'S/ MULTIMEDIA/CD-ROM/PRINTERS
AUDIO VIDEO IRC
Nieuwe & tweedehandse hardware
Alle soorten software
CONVERSIES
Yo! Noem maar op. Serieus...!

Ik klom de trap op. Het gebouw was vroeger een soort fabriek of warenhuis geweest. Maar nu bestond het uit afzonderlijke ruimtes die gescheiden werden door stalen harmonica-deuren. Vanachter de deur van Unit 22 hoorde ik stemmen. De deur stond op een kier. Ik gluurde naar binnen. De ruimte was van boven tot onder gevuld met computerspullen. De spullen leken niet echt nieuw. De meeste dingen zagen eruit alsof ze uit elkaar gehaald waren. Overal hingen draden en kabels uit en op de werkbanken lagen allerlei onderdelen die zo te zien uit het binnenste van computers kwamen. Op een krat in het midden van de ruimte zat Los. Hij was in gesprek met een vent die eruitzag als een zwerver. Hij had lang, grauw, grijs haar tot op zijn schouders. De man knikte en zei: 'Wat jij wilt, man... ik kan wel wat voor je regelen.'

De WYSIWYG-man wees naar iets op zijn werkbank. Ik deed

mijn uiterste best om te horen wat er gezegd werd, maar ze stonden over de werktafel gebogen met de rug naar me toe. Ik ving niks anders op.

Ik stond aan de grond genageld. 'Wel wat voor je regelen.' Sorry, ik ben van nature niet achterdochtig, maar achterlijk ben ik ook niet. Deze buurt was toch niet helemaal pluis. Op straat waren er verschillende mannen naar me toegekomen die coke te koop aanboden. En ik geloof niet dat ze coca-cola bedoelde. En al die computerspullen. Duidelijk niet nieuw. En alles wordt uit elkaar gehaald. Ik bedoel, het zag er niet uit alsof het net bij een computerzaak gekocht was...

Op dat moment kwamen Los en de zwerver geheel onverwacht overeind.

'Yo man', zei de man en gaf Los een klap op zijn schouder. 'Laat snel wat van je horen. Kijk hoe het bevalt, oké?' Dit onderonsje was zo te zien bijna afgelopen. Ik draaide me om en vloog de trap af. Achter me hoorde ik al snelle voetstappen op de betonnen trap naar beneden komen.

Ik snelde de straat weer op. Misschien was Los wel bij een of ander louche zaakje betrokken. Opeens herinnerde ik me weer zijn hypnotisch blauwe ogen. Ik dacht terug aan hoe hij zich in het café gedragen had met de ketchup en de pen en zo. Oké, dus ik kon geen hoogte van hem krijgen. Maar ik kon me ook niet voorstellen dat hij iets slechts of verkeerds deed. Er was iets vreemds aan hem, maar niet slecht-vreemd. Of toch wel? Nee, echt niet. Geloof me, oké? Mijn intuïtie zei dat Los een gewone jongen was. En vertelde me, zonder de minste of geringste twijfel, dat ik *werk van hem moest maken*. Dus hoever was ik gekomen? Eerlijk gezegd, begon het redelijk zorgwekkend te worden. Tot nu toe had ik een hele zaterdagochtend aan deze jongen verspild en had ik nog niet eens het moment suprême bereikt dat ik 'hoi' tegen hem zei. De grote vraag was hoe ik deze relatie verder op weg ging helpen zonder mezelf voor schut te zetten door uit te laten komen dat ik hem gevolgd was?

Ik dacht snel na. Als ik nu gewoon een zijstraat insloeg, me halverwege omdraaide en terugliep, dan was de kans groot dat ik hem tegenkwam en kon ik hem hier gewoon 'toevallig' tegen het lijf lopen. Hoe dan ook, het was zo ongeveer mijn laatste kans, dus echt veel keus had ik niet.

Ik liep de eerste de beste zijstraat in, draaide me halverwege om en liep terug. En ja hoor, terwijl ik de hoek omkwam *stonden we oog in oog.*

Hij keek me een tweede keer aan.

'Hé! Dat is toevallig! Dat ik jou nou tegen het lijf loop! Hoe is het?' zei hij.

'Hoi, wat doe jij hier?' vroeg ik en hoopte dat ik er overtuigend verrast uitzag.

'Dat wilde ik jou ook net vragen.'

'Gewoon aan de wandel.'

'Wat een toeval!'

'Bizar.'

'Mm.'

Er viel een stilte waarin de spanning om te snijden was.

'Hoe gaat ie?' vroeg hij.

'Goed.'

'Het regent weer.' Hij stak zijn hand uit om zijn woorden kracht bij te zetten.

'Mm.'

(Sorry hoor. Ik weet dat het een nogal oninteressant gesprek was.)

'Nou, ik denk dat ik maar weer eens verder ga', zei hij.

Daar gaat mijn kans, dacht ik.

'Welke kant ga je op?' vroeg ik.

'Waar moet jij naartoe?'

Ik wees in de richting van waar ik vermoedde dat het metrostation lag.

'Ik ook', zei hij, wat op zich wel lief was, aangezien hij vanaf die kant aan was komen lopen. Maar goed, wie ben ik om daar wat van te zeggen.

'Maar, wat doe jíj hier?' vroeg ik.

'Moest iets regelen', zei hij, zo te zien zonder een spoortje schuld. 'Wat brengt jou hier?'

Ik keek om me heen voor inspiratie.

'O, gewoon, ik moest wat spullen van de markt hebben.'

'Uh... huh.'

Om mijn opmerking kracht bij te zetten, stopte ik bij een kraam waar ze een keur aan vreemd gevormde, wrattige, bruinige dingen verkochten.

'Wat mag het zijn, dame?' de marktkraamverkoper hield vol verwachting de schaal van de weegschaal voor zich uit.

'Eh... een paar van die?'

'Gember? Hoeveel wil je er, wijfie?'

Ik had geen idee in wat voor hoeveelheden je gember koopt.

'Een paar kilo moet genoeg zijn.'

'Hoe heter, hoe beter', zei de verkoper met een opgetrokken wenkbrauw. 'Dat is dan zes euro. Gebruik het met mate, oké.'

'Dat zal ik doen', zei ik en ruilde het geld voor een bobbelig uitpuilende roze plastic zak. Fantastisch!

We liepen verder richting het station. Althans, Los liep. Ik zweefde zo'n vijf centimeter boven het trottoir. Als ik de plastic zak niet als tegengewicht had gehad, denk ik dat ik echt was weggezweefd.

Halverwege de markt kwamen we een bekende van Los tegen. Wacht even, ik had deze gast eerder gezien. Yep, het was de drummer van de band.

Hij en Los gaven elkaar een vreemde, ingewikkelde handdruk. Het hield het midden tussen een high five en iets uit *Star Trek* – het verstrengelen van vingers in een opwaartse en naar buiten gaande beweging. Los sloeg een arm om me heen en duwde me op een kalme manier naar voren. Alsof we elkaar al jaren kenden. Hij stelde de man aan me voor als Phil.

'Phil. A Delphia', voegde Phil hier aan toe en haakte zijn vingers in de mijne in een soort van low five.

'Kom, dan gaan we wat drinken', zei hij. 'En neem eh...'

'Justine', zei ik.

Dus zo kwam ik terecht in een café vol met de meest vreemd uitgedoste mensen. Los slalomde door de menigte heen in de richting van een tafeltje achterin waaraan een meisje zat. Ze keek op. Haar haar was echt donkerblauw. Het was het meisje uit de band.

'Hi', zei ze toen ze Phil zag. Ze keek Los van onder haar lange wimpers met een lome blik aan.

Ben je ooit weleens zo jaloers geweest dat je nekharen recht-overeind gingen staan? Ik zweer het je, ik kon de haartjes in mijn nek echt letterlijk, stuk voor stuk, rechtovereind voelen staan. Er was duidelijk iets gaande tussen deze twee.

Ze stelde zichzelf voor als 'TeXas met een grote X'. Jezus, ik voelde me echt suf met een doodordinaire naam als Justine. Eerlijk gezegd voelde ik me sowieso suf. De vrienden van Los waren veel ouder dan mijn vrienden. En het leek erop alsof ze niet meer thuis woonden of naar school gingen, en al die

onzin die daarmee gepaard gaat en je in feite alleen maar
uitput en deprimeert.

Onderling spraken ze ook een eigen taal. Het was wel Neder-
lands of zo, maar deze combinaties van woorden had ik nog
nooit ergens eerder gehoord. Ik zal je een voorbeeld geven:

Phil: 'Zo, hoe zit het met die retromeid die je ether in beslag
neemt, man.'

Los: 'Ze is oké. Glanzend. Vriend van een kartonslaper,
recentelijk on-levend.'

Los stond op en liep naar de bar.

'Zijn jullie recentelijk gekoppeld?' vroeg Phil terwijl hij met
zijn hoofd een rukje gaf in de richting van Los.

Ik ging ervan uit dat hij 'samen uitgaan' bedoelde. (*Als dat
zou kunnen!*) Ik schudde mijn hoofd. 'We hebben elkaar pas
ontmoet.'

'Hoe?... Waar?... Vertel?'

'Op de Algemene Begraafplaats, om eerlijk te zijn.'

'Mmm-mmm', zei hij, alsof dit de normaalste plek op aarde
was om elkaar voor het eerst te ontmoeten.

Los kwam terug met drie glazen donker vocht waar groene
stukjes indreven en de stoom van af sloeg.

Ik bekeek het glas bedenkelijk. 'Wat is het?'

'Muntthee met honing', zei hij. 'Probeer maar. Geen cafeïne,
geen alcohol, niets wat je hersencellen aantast.'

Wat op zich handig bleek, want het daaropvolgende halfuur
werden mijn hersencellen gedwongen op volle toeren te
draaien.

Ik zat daar als een jaknikhondje te luisteren en had het
gevoel dat ik een werd met het behang.

TeXas, met de grote X, zei niet veel. Maar ze zag er zo
ont-zet-tend zelfverzekerd uit. Op haar laarzen na was alles

wat ze droeg van zwart fluweel. Haar geveterde, kniehoge laarzen waren zilverkleurig – net als die van Los.

Het zag eruit alsof ze geen enkele moeite had om het gesprek te volgen. Dus ik kon ook niet met het suffe excuus komen dat dit een typisch jongensonderwerp was en dus geen onderdeel van mijn belevingswereld. Weet je, deze gasten waren zo bezeten van computers dat Tommie in vergelijking bijna normaal te noemen was.

Los zat te vertellen over de deal die hij had weten te sluiten met de man van WYSIWYG.

'Hij installeert breedband – CDL bruikbaar primetime twaalfhonderd uur GMT.'

'Ja? Wat is dat in de Big Apple?'

'Min zes.'

'Hoe verdeelt hij de connect time?'

'Hij downloadt een w32sI25.exe – daarmee krijgen we 2287298.'

'En hoe zit het met OLE-ondersteuning? Waar zetten we dat neer?'

Los rommelde in zijn jaszak en haalde een verfrommeld papiertje tevoorschijn. Ze bogen allemaal vooraf. Zover ik kon zien, stond er ongeveer het volgende op: *http://www.voyagerco.com/cdlink/getstarted/win.html*.

'Het draait zelfstandig', ging Los verder. 'Dus we kunnen het gebruiken om alles wat we willen verplaatsen in de DL-map te zetten.'

'Cryonisch', zei Phil.

Ik had me teruggetrokken achter mijn kop muntthee en nipte er uiterst geconcentreerd van.

Eerlijk gezegd begon ik me af te vragen of het wel zo'n goed idee was om Los uit te nodigen voor het feestje van vanavond. Ik bedoel, kon ik me überhaupt iets voorstellen bij de gedachte dat hij met Henny en Franz en de rest aan een tafel zou zitten voor een etentje. Ik bedoel, hallo, megabotsing van culturen!

Of nog erger, Los die me thuis op komt halen – omdat mam daar waarschijnlijk op staat – en dan op mama's beste, gestreepte gebrocheerde sofa een kruisverhoor krijgt terwijl mama's foto's op ons neerstaren. Die foto's van mij en mijn zus Josephine als glimlachende elfjes, waarop ik eruitzie als een slome lappenpop omdat ik net mijn voortanden aan het wisselen ben.

Of nog erger! De schaamte die ik zou ondergaan vanwege al het opscheppen – al die verzilverde fotolijsten met papa's jacht en het renpaard dat hij samen met iemand van kantoor heeft gekocht...

Toen ik opkeek, staarden Phil en Los me aan.

'Kruisen we elkaar?' zei Phil.

'Mmm-mmm. Venus?' zei Los.

'Virtueel', zei Phil. 'Maar doet ze het, denk je?'

'Wat?' vroeg ik. Ik voelde hoe ik langzaam rood werd door zoveel heerlijke, mannelijke blikken.

'Venus voor ons zijn?' zei Los.

'Online videolink?' zei Phil.

'In een video?' vroeg ik.

'Zoiets', knikten ze.

'Waarom ik?'

'Jouw gezicht is het meisje uit het nummer.'

'Echt?'

'Yep, precies zoals ik me Venus voorstel.'

'Wat moet ik dan precies doen?' vroeg ik. Ik kon me exact voorstellen wat mama zou zeggen als ik in een video zou zitten met wildvreemde mensen die ik in een café ontmoet had.

'We hebben alleen je gezicht nodig. We bewerken het zo dat achter je een sterrenhemel verschijnt.'

Het klonk als iets simpels, kleren aan, geen gedoe.

'Wanneer?'

'Vanavond.'

'Vanavond?'

Vanavond was het feestje van Franz. Maar wat dan nog? Een verjaardag van iemand die zestien wordt, is voor kinderen. Ze zouden zich totaal onvolwassen gedragen en waarschijnlijk eindigde het etentje toch maar weer in een kinderachtig voedselgevecht.

Dus zei ik: 'Tuurlijk. Geen probleem.'

Eerlijk gezegd zou ik alles doen wat Los me vraagt. Hij was zo anders en mijlenver verwijderd van wat ik gewend was...

'Voorwaarts en naar buiten', zei Phil terwijl hij zijn glas hief.

'Voorwaarts en naar buiten', zei ik.

'Op cyberians, waar ze ook mogen surfen', zei Los.

'Siberiërs?' vroeg ik. Dat zou iets van hun vreemde gedrag kunnen verklaren.

'C. y. b. e. r. i. a. n. s.', spelde Los het woord voor me.

'Wie zijn dat?' vroeg ik.

'Cyberpunks, troubadours van de tijd, vluchtelingen van het grote, gemene morgen', zei Phil.

'O, ik begrijp het, natuurlijk', zei ik. 'Nou... proost!'

Zo, dit ging me echt allemaal een beetje boven mijn pet.

Terwijl de mannen bezig waren nog wat losse eindjes aan elkaar te knopen over dat 'WYSIWYG voyager via cdlnkins exe'-gedoe, leunde TeXas naar me toe en zei: 'Mag ik je een advies geven?'

'Ja, nee, natuurlijk. Ga je gang.'

'Probeer de relatie niet op te waarderen.'

'Welke relatie?'

'Met Los. Heb het al te vaak meegemaakt.' Ze gaf me een veelbetekenende blik.

'Ik weet niet waar je het over hebt. We kennen elkaar net.'

'Die surfers. Ze zijn bezeten... niet te vertrouwen... Vandaag nog hier, morgen verdwenen. Geloof me.'

'Ik denk dat ik dat zelf prima kan uitmaken, dankjewel', zei ik koeltjes.

Wie dacht zij wel dat ze was? Hal-lo, ik ben niet achterlijk. Het was zo dui-de-lijk. Ze wilde Los helemaal voor zichzelf hebben. Nou ja, dat kon je haar natuurlijk niet kwalijk nemen.

'Hij is hier alleen maar vanwege een of ander platencontract', ging ze verder.

'Platencontract?'

'Met Spielberg. Ze hebben gezegd dat ze *snel* weer contact opnemen.'

'En zijn ze dat – in contact geweest?' vroeg ik onschuldig.

'Nog niet. Maar hij denkt dat het de moeite nog wel waard is om in de buurt te blijven. Voor het geval dat.'

Ik knikte en glimlachte veelbetekenend.

Het gesprek werd daarna beheerst door cyber dit en cyber dat en cyber zus en cyber zo. Ik deed mijn best nog een soort van 'intelligente interesse' te tonen. Tegen de tijd dat ik het café verliet, tolde ik op mijn benen van pure mentale uitputting.

Ik ging op weg naar huis terwijl ik me afvroeg of ik me als een volslagen sukkel had gedragen, of niet. Ik bedoel, zij hadden het over dingen waar ik me nog nooit maar een klein beetje bewust van geweest was. Ik bleef maar malen over wat ik allemaal gezegd en gedaan had. Ik moet als een compleet leeghoofd overgekomen zijn. Misschien was ik ook wel gewoon dom. Ik bedoel, als ik dat echt was, dan was ik zelf de laatste die daar achter kwam, of niet dan?

Het resultaat van deze pijnlijke zelfbeschouwing was dat ik het geld dat ik van mama had gekregen *investeerde*. Niet in iets 'moois en netjes' voor Franz' feestje en voor het afbetalen van de jurk van Hennie die ik per ongeluk geruïneerd had. Nee, ik investeerde het in een lange, zwarte, tot op mijn enkels vallende jurk en een bus met zilverkleurige verf.

5

Toevallig kwam Tommie die middag langs om naar mijn vaders computer te kijken. Om te zien of hij de computer weer in orde kon maken voordat een hacker de kans kreeg om ons te beroven.

Ik keek toe hoe Tommie magische dingen deed met de Apple-toets en de Esc-toets en een combinatie van toetsen die je anders nooit gebruikt. Hij fluisterde troostende en bemoedigende geluiden tegen de computer terwijl hij bezig was.

Opeens verdween de bom en flitste het scherm met gevoel voor drama drie keer en kwam toen weer tot leven. Tommie leunde achterover in zijn stoel. Hij had een trotse maar bescheiden uitdrukking op zijn gezicht en wachtte op lof.

'Dus... wat was nu eigenlijk het probleem?' zei hij.

'Oké. Ik geef het toe. Je bent een ster. Hoe heb je dat voor elkaar gekregen?' vroeg ik.

'Natuurtalent, is aangeboren', zei hij. 'Je hebt het of je hebt het niet.'

'Is er iets wat je niet weet over computers?'

'Niets wat niet de moeite waard is om te weten.'

Nu Tommie toch in een goede, behulpzame bui was, leek

het me het juiste moment om hem het hemd van het lijf te vragen over mijn 'nieuwe vrienden'.

'Heb je ooit gehoord van mensen die zichzelf "cyberians" noemen?'

'Bewoners van de voormalige Sovjet-Unie? Verzot op bont-mutsen?'

'C. y. b. e. r. i. a. n. s.', spelde ik.

'O, cyberpunks – op het net?' (Ik praatte eindelijk Tommies taal.) 'Misschien. Er zijn tonnen vreemde groeperingen op het net.'

'Dit is geen vreemde groepering. Het is toevallig een groep mensen met behoorlijk radicale wetenschappelijke opvat-tingen, hoor.'

'Zoals?'

Ik dacht even na, ik moest het wel in één keer goed zeggen: 'Zoals je bewustzijn uploaden in een computer zodat je de dataruimte kunt doorkruisen en door de tijd kunt reizen.'

Tommie snoof minachtend en moest daarna grinniken. Ik wist dat ik beet had. Dit soort dingen zijn de zaken waar Tommie een kick van krijgt.

'Typisch cyberpunkgeouwehoer. En waar komt deze interesse opeens vandaan? Klinkt niet echt als iets waar jij je voor interesseert, Justine.'

'Laten we het er maar op houden dat ik die lui ontmoet heb.'

'Welke lui, waar, wanneer?'

'Vanochtend. Op de markt. Een van hen had ik al eerder ontmoet...'

'Toch niet die snuiter die je op de begraafplaats opgedoken hebt?'

'Het is geen snuiter, het is toevallig een ontzettend interes-sante man.'

Het was duidelijk dat Tommie van Franz nogal wat nadere details over Los had gekregen. Eerlijk waar, mannen zijn ook echte roddeltantes, vind je ook niet?

Hij leunde achterover in zijn stoel en staarde me met een taxerende blik aan. Ik merkte dat ik het warm kreeg en kregel werd van zijn onderzoekende blik. Hij floot zachtjes tussen zijn tanden. 'Wat een vrouw allemaal niet bereid is te doen als ze gek is op een vent.'

'Onzin', zei ik. 'Dat heeft er helemaal niets mee te maken.'

'Is het zijn geest of zijn *lichaam* waar je op uit bent?'

'Allebei.'

'Serieus, die eikel met die zilverkleurige moonboots?'

'O, hou je kop. Je bent gewoon jaloers, meer niet.'

'Jaloers! Dat is een goeie! Ik jaloers op die nerd, aansteller, watje, sukkel, achterlijke neanderthaler...'

Hij kon niets beledigends meer bedenken.

'Nog iets?'

'Die vent is niet goed snik, Justine! Hij is of een bedrieger of hij is stapelgek.'

'Dat is ie niet...'

'Oké. Ik zal het je bewijzen. Laten we die "cyberians" eens opzoeken', zei Tommie, terwijl hij zich vastberaden omdraaide naar het scherm.

Als eerste typte hij het woord 'cyberia' in.

Na een hoop gebliep en geknetter kwam het scherm tot leven en toverde een ongelooflijke hoeveelheid informatie tevoorschijn.

'Dit is hun homepage', zei Tommie.

'O, dit is echt fantastisch', voegde hij er met een hinnikende kreet aan toe. 'Moet je horen!'

Wat is een cyberian? Zie de FAQ-*lijst voor antwoorden. Bekijk de lijst met* BCP'*s – Beroemde Cyberian Personen. Phil A Delphia: X1 Essay: Mijn leven in dataruimte. Een cyberian interesseert zich voor transhumanisme, robotica, cryonica, kunstmatige intelligentie, mind uploading, neurowetenschappen, nanotechnologie, technomusicologie.*

'Wat een gelul', zei Tommie.
Ik schaarde dit onder het kopje pure mannelijke afgunst.
'Dat komt omdat je het niet begrijpt', zei ik verdedigend.
'Wie zegt dat?' zei Tommie.
'Leg het dan eens uit.'
'Oké. Let op.'
Tommie las de informatie op het scherm al mompelend snel door. Vervolgens moest ik tegenover hem komen zitten en opletten.
'Oké, het komt erop neer dat het een stelletje achterlijke leugenaars zijn, die denken dat ze geniaal zijn omdat ze geloven in allerlei idiote "alternatieve" theorieën...'
'Zoals?'
'Zoals cryonica...'
'Wat is dat?'
'In principe komt het erop neer dat als je denkt dat je binnenkort de pijp uit gaat, je een stelletje idioten een heleboel geld betaalt en zij je vervolgens heel gezellig in een vriezer stoppen. Daar bewaren ze je dan een paar millennia of totdat iemand bedenkt hoe de dood te genezen of zoiets. In dat geval leggen ze je in een magnetron, zetten hem op ontdooien en voilà, je bent weer springlevend. Cryonica is niet bepaald mijn keuze voor zelfbehoud, maar misschien denk jij daar anders over.'

'Cool.'

'Nogal.'

'En dan hebben ze het nog over nanotechnologie.'

'Nanotechnologie?'

Dat had iets te maken met het lenen van theorieën uit de biologie en die dan op andere dingen toepassen. Maar aangezien mijn kennis van biologie eindigt met het ontleden van een worm, ging dit me allemaal een beetje boven mijn pet...

'Dan heb je nog memetica,' ging Tommie verder, 'en dat heeft weer te maken met zichzelf vermeerderende eenheden... en ecologie en... (ben je het al zat?)...'

'Nee, ga door.'

'Oké, want we komen nu pas bij de interessante dingen...'

Dat was het moment waarop Tommie inging op 'mind uploading'.

'Wat deze gasten proberen te beweren,' zei Tommie, 'is dat wát we zijn, wat ons bijeenhoudt – zoals geheugen en motivatie, maar ook onze lichaamscellen – alleen maar data is. Gerangschikt op een bepaalde manier, natuurlijk. Sommigen van ons hebben grote hersenen of voeten en anderen hebben vooruitstekende voortanden of grote tieten. In theorie kan alle data vertaald worden in computerbits. En bits kun je uploaden. Als je ze eenmaal geüpload hebt, zijn ze niet meer in reële tijd of ruimte. Volg je het nog?'

'Ja-a.'

'Theoretisch gezien kun je, als je eenmaal geüpload bent, eenvoudigweg door cyberwonderland surfen en door welke ruimte of tijd dan ook reizen. Wat jij wilt, zeg maar...'

'Wacht even. Probeer je me nu te vertellen dat dit "uploaden" dingen mogelijk maakt zoals, zeg maar, tijdreizen?'

'In *theorie*, ja.'

'Dus dan ben je het met hen eens?'

'Ja, in *theorie*. Zelfs Stephen Hawking geeft nu toe dat tijd-reizen *wellicht* theoretisch mogelijk is.'

'Dat klinkt niet alsof hij heel zeker is.'

'Hoe kan iemand zeker zijn. Totdat iemand het gedaan heeft, althans. Het is alleen maar een theorie. Maar zeer waar-schijnlijk *wellicht* mogelijk...'

Tommie was nu helemaal op stoom over zijn favoriete onderwerp. En terwijl hij verder ging met zijn techno-gebabbel, luisterde ik nog maar half.

'... als er tenminste juiste informatie in het systeem is gestopt – dat is echt een megaklus, maar wel een die theore-tisch gezien niet geheel onmogelijk is – en als je zelflerende informatiesystemen krijgt, kun je het proces praktisch tot in het oneindige versnellen... Maar zoals ik al zei,' eindigde hij, 'in principe is het een hoop gelul.'

'Hoe weet je dat zo zeker?'

'Het is overduidelijk. Kijk, Hawking zelf heeft dat glashelder gemaakt. Als tijdreizen mogelijk zou zijn, dan waren we al lang geleden overspoeld door toeristen uit de toekomst.'

'Wie zegt dat de eerste lading niet elk moment kan verschij-nen?'

'Dat zou kunnen', zei hij met een grijns. 'Maar laten we wel wezen, wie wil hier nu in vredesnaam naartoe komen? Naar de eenentwintigste eeuw? Wat hebben wij nou te bieden? Werkloosheid, kredietcrisis, vervuiling, files – er is zelfs niets fatsoenlijks op tv. Wees realistisch, deze tijd is echt de meest trieste vakantiebestemming voor tijdreizigers. Elke zichzelf respecterende tijdreiziger zou een ticket boeken naar een tijd waarin iets meer gebeurt dan in onze tijd. Zoals de Franse

Revolutie... of de laatste dagen van het Romeinse Rijk... of de tijd dat Amerika ontdekt werd...'

'...of de jaren zestig', opperde ik, omdat ik me opeens herinnerde dat ik nog steeds achterlag met het onderzoek voor mijn Millenniumproject.

'Ja, bijvoorbeeld. Maar het blijft gelul.'

Maar was dat wel zo? Wat Tommie ook zei, ik begon het toch allemaal een beetje te begrijpen. Trouwens, wat wist een sukkel als Tommie er nu van? Los was toch van een heel ander niveau, niet dan?

'Nou, ik denk dat ik er maar vandoor ga. Omkleden voor vanavond en zo', zei Tommie toen hij geen reactie meer uit me kreeg. 'Voor Franz haar megavette, opgedirkte, chique feestje. Tenminste, als mijn moeder mijn zwarte 501 heeft gewassen. O shit!' zei hij.

'Wat?'

'Herinner me opeens waar ie is. Denk je dat Franz het merkt als ik een andere broek aantrek?'

'Je bedoelt die vreselijke synthetische?'

Tommie knikte mismoedig.

'Waarschijnlijk niet, we zitten toch de hele avond...'

'Maar iedereen ziet ze als ik het restaurant binnen kom lopen, niet dan...'

'Mm...'

'Zou het uitmaken als ik mijn gympen er bij aandoe?'

'Mm... mm...'

'Justine?'

'Mm...'

'Misschien moet ik mijn boxershort over mijn broek dragen?'

'Mm...'

'Je luistert helemaal niet, of wat?' zei hij geïrriteerd.

'Kan het je niet schelen wat ik aantrek?'
Ik had het hart niet hem te vertellen dat het me inderdaad
niet zoveel kon schelen, aangezien ik er vanavond toch niet
bij zou zijn.

Tommie ging naar huis, zich nog steeds druk makend over
wat hij nu wel of niet moest dragen aan, op of over zijn
onderlichaam voor deze non-gebeurtenis van de eeuw. En
ik ging naar boven om mijn nieuwe, lange, zwarte jurk te
passen.
Ik bekeek het resultaat in de spiegel op mijn slaapkamer.
Jezus, ik had me nooit gerealiseerd dat ik er als een flapdrol
uitzag in een lange jurk. Ik vond een nagelschaartje en begon
de rok van mijn jurk te bewerken. Ik knipte net zo lang tot ik
lange splitten had tot op miniroklengte. En waar de splitten
een beetje erg lang uitvielen, bevestigde ik heel geraffineerd
en modieus grote veiligheidsspelden. Ik bracht net een
tweede laag paarsbruine lippenstift aan – waarvan ik schatte
dat die ongeveer dezelfde kleur had als TeXas had gedragen –
toen ik de deurbel hoorde.
Even later verscheen Henny buiten adem in de deuropening
van mijn slaapkamer.
'Waar was je?' wilde ze weten.
'Wat bedoel je?'
'Ik heb drie kwartier op je staan wachten in de stad. We
hadden toch afgesproken om samen te gaan, weet je nog?'
Oh my god, ik was helemaal vergeten dat ik met Henny had
afgesproken om samen naar het restaurant te gaan.
'Het spijt me, echt, ik was het helemaal vergeten.'
'En wat heb je in vredesnaam aan?' ging Henny verder,
terwijl ze me ongelovig aanstaarde.

Ik draaide een rondje.

'Wat vind je ervan?'

'Eerlijk en oprecht?'

'Mm...'

'Je ziet eruit als een kruising tussen Mary Poppins en de gemene heks.'

'Dit is mijn nieuwe imago.'

'Dat kun je wel zeggen, ja. Ik wist niet dat het vanavond een gekostumeerd feest is.'

Henny had een heel korte nylonjurk met een vest van donzige, roze angora aan. Ze zag eruit als Barbie op een slechte dag – maar aangezien dat de huidige mode was, kon ze er waarschijnlijk wel mee wegkomen.

Ze bekeek mijn jurk met een taxerende blik.

'Waar heb je die vandaan, uit een kringloopwinkel?'

'Nee, hij heeft me een fortuin gekost.'

'Je bent toch niet echt van plan om dit naar Franz haar feestje te dragen?'

'Eerlijk gezegd niet, nee.'

'Moet je je dan onderhand niet eens omkleden?'

'Nou, weet je, het zit eigenlijk zo...' Ik probeerde moed te verzamelen om Henny te vertellen dat ik niet ging, toen ze me onderbrak:

'Hé, heb je die gozer eigenlijk nog gevraagd?'

'Wie wat gevraagd?'

'Die vent die je uit wilde nodigen voor het feestje?' Ze begon duidelijk haar geduld te verliezen.

'O, híj. Eh, nee.'

'Justine, dan komen we dus een man te kort.'

'Nee hoor.'

En ik bekende haar hoe het zat.

'Weet je, eerlijk gezegd ga ik niet naar het feest...'

'Niet?'

Ik vertelde haar van de video.

'Je kunt toch niet van me verwachten dat ik zo'n kans laat schieten? Zou jij het aan je neus voorbij laten gaan?'

Blijkbaar wel dus. Henny liet me vervolgens luid en duidelijk weten hoe zij dacht over je vrienden laten zitten en dat ik de laatste tijd veranderd was.

Toen ze uitgeraasd was, keek ze naar beneden.

'O, mijn hemel. Wat is er met je gympen gebeurd?'

'Ik heb ze overgespoten.'

'Zilver... wat afschuwelijk', ze stokte en haar ogen werden wijder.

'Maar dat waren echte Puma's', riep ze uit.

Ze begon nu echt op mijn zenuwen te werken. Henny was het voorbeeld van een generatie die mensen beoordeelde op de schoenen die ze aanhadden. Eerlijk waar, ze waren allemaal zó ontzettend onvolwassen.

'Sorry hoor, maar ik moet ervandoor', zei ik. 'Veel plezier vanavond.'

'Nu we het er toch over hebben. Hoe zit het met dat geld... voor de jurk die je geruïneerd hebt. Weet je nog?'

'Zit op het moment een beetje krap bij kas...'

'Maar je kon wel dat vod betalen!'

Nu begon ze me echt te irriteren. 'Dit is voor een heel speciale gelegenheid...'

'Justine! Mijn moeder wordt woest.'

'Maak je geen zorgen. Het is maar geld. Er zijn belangrijkere dingen in het leven.'

'Zoals?' schreeuwde Henny.

'Dat begrijp je toch niet.'

'Franz heeft gelijk. Je gedraagt je de laatste tijd erg vreemd, Justine', zei Henny hoofdschuddend terwijl ze de kamer uitliep.

'Later', riep ze vanuit de gang.

'Misschien', riep ik terug.

Man, ze was zo sáái.

Ik draaide me om naar de spiegel. Ik vond dat ik er eigenlijk best wel goed uitzag, al zei ik het zelf.

Maar goed, zo kwam ik dus om tien uur 's avonds in het zuidelijke deel van de stad terecht.

6

De laan waar ik moest zijn, is zo'n typische laan met aan
beide zijden rechte rijen platanen, geparkeerde auto's en
identieke twee-onder-een-kaphuizen.
Ik liep de straat door terwijl ik de huizen bestudeerde. Ik
kreeg steeds meer de indruk dat mijn richtingsgevoel me in
de steek liet.
Het leek me onmogelijk dat Los hier woonde. Deze wijk
ademde gewoon doe-het-zelf en 'vergeet niet je auto elk
weekend te wassen' uit.
Elk huis onderzocht ik op een teken van intelligent leven.
Eigenlijk kwam het erop neer dat je de mensen die hier
woonden in twee categorieën in kon delen. De linkshandigen,
wier huis aan de rechterkant aan een ander huis grensde, en
de rechtshandigen, wier huis aan de linkerkant aan een ander
huis grensde. Op een bepaald moment, jaren geleden, moet
een of andere misleide individualist het wilde idee gehad
hebben dat het timmeren van een afdakje boven de voordeur
hun huis net een beetje anders maakte. Het idee had zich
als een virus door de hele straat verspreid. Met als gevolg
dat iedereen nu zijn eigen scheve afdakje had, compleet met
uitgedroogde hangende manden en kwijnende cactussen.

Eerlijk gezegd was dit nou niet de omgeving waar je een band van wereldklasse zou verwachten.

Maar toen ik bijna bij nummer 67 was, zag ik een spookachtig blauw licht door de gordijnloze ramen schijnen. En toen ik nog dichterbij kwam, hoorde ik het zware, sexy geluid van de drums.

Ik had eigenlijk een lading limousines voor de deur verwacht of zoiets. Ik bedoel, als ze ergens een concert gingen geven, was het dan niet onderhand tijd dat ze op weg gingen?

Ik liep over het tuinpad naar de voordeur. Ik haalde een spiegeltje uit mijn tas en controleerde mijn make-up. Vervolgens haalde ik een keer diep adem en belde aan.

Er klonk een zacht tingelend melodietje.

Na een paar minuten klonken er haastige voetstappen, alsof iemand bijna van de trap viel, en vloog de voordeur open.

'Ik dacht niet dat je het zou redden', zei Los.

'Waarom niet?' vroeg ik.

Hij haalde zijn schouders op. 'Dacht dat je misschien iets beters te doen zou hebben op zaterdagavond.'

Hij stond in de deuropening en droeg een zwart T-shirt waar zijn wasbord duidelijk in aftekende. Iets beters te doen? Een cheque in ontvangst nemen voor een paar miljoen, misschien? Of levend begraven worden onder een lawine van chocola en me daar uit eten? Ik daag iedereen uit om iets beters te bedenken.

'Hoe laat begint het concert?' vroeg ik.

'12 gmt', zei hij. 'Kom binnen.'

Ik volgde Los door een kale gang waarin onze voetstappen echoden.

We liepen een kale trap op en passeerden een kamer waar zo te zien alleen maar een stel verfrommelde slaapzakken lag en een schoteltje met uitgedrukte sigarettenpeuken stond.

De overloop werd verlicht door een peertje en terwijl we langs wat waarschijnlijk de badkamer was liepen, ving ik een glimp op van een groenig badmeubel vol met vlekken, gebloemde bruine en oranje tegels uit de jaren vijftig en een linnen mand in verre staat van ontbinding. Verder was het huis helemaal leeg, op het linoleum op de vloer en een paar laatste stukjes behang aan de muren na.

Nummer 67 was een kraakpand.

We liepen verder de overloop op en klommen via een gammele ladder naar de zolder.

Eenmaal op de zolder bleek die er totaal niet meer uit te zien zoals je normaal van een zolder zou verwachten. Het leek meer op het decor van een sciencefictionfilm.

Het kwam er min of meer op neer dat alle wanden bedekt waren met aluminiumfolie. Er hing een blauw licht-verspreidend peertje aan het plafond. Phil en TeXas stonden gebogen over een lading apparatuur.

Phil ontwarde een statief en ging daarna druk in de weer om het in de juiste positie te krijgen. Vervolgens maakte hij testopnames.

Los gebaarde dat ik ergens moest gaan zitten. Ik koos een plekje op wat ik dacht dat een kussen was, maar uiteindelijk een stapel oude kleren bleek te zijn.

Er ging een halfuur voorbij en het was duidelijk dat Los steeds ongeduldiger werd. Met zijn vingers tikte hij continu op de microfoon.

Phil deed een paar felle lampen aan en TeXas stond door een cameralens naar hem te kijken. Een kleine monitor knetterde. Terwijl het geluid minder werd, verscheen Phil in het midden van het scherm.

'Dat is prima zo. Nu kan Justine plaatsnemen.'

'Wat moet ik precies doen?' vroeg ik.

Ik kreeg instructies om op een stoel te gaan zitten en in de lens te kijken.

TeXas bekeek mijn gezicht met een kritische blik en bracht wat poeder aan.

De monitor knetterde opnieuw en een video van een met sterren bezaaide hemel verscheen.

'Klaar?' vroeg TeXas en ze draaide de camera in mijn richting.

Ik zag mijn gezicht verschijnen in de sterrenhemel. Vervolgens veranderde de achtergrond en werden de ringen van Saturnus zichtbaar, die op hun beurt weer overgingen in wat zo te zien de oppervlakte van een of andere planeet was. Doordat ik blond ben en een nogal lichte huid heb, verbleekte mijn gezicht en smolt het als het ware met het landschap samen. Het had in ieder geval een geweldig effect.

Phil zat een beetje achter het drumstel te drummen. Los ging achter het keyboard zitten. TeXas speelde een paar akkoorden op de gitaar.

'Maar hoe zit het nu met het concert?' vroeg ik.

'We beginnen over tien minuten', zei Phil terwijl hij op zijn horloge keek.

'We spelen wereldwijd vanavond', legde Los uit.

Niemand maakte aanstalten om op te staan en zich klaar te maken voor vertrek.

'Moeten we dan onderhand niet eens de deur uit?' vroeg ik.

'We spelen hier vanavond', zei Los.

'Hier?' vroeg ik ongelovig. (Dit was nu niet echt een stadion te noemen.)

Los wees naar een contactdoos in de muur.

'Daarmee worden we verbonden met een potentieel publiek van miljarden mensen over de hele wereld – moeilijk vast te stellen hoeveel het er precies zijn, uiteraard.'

'Maar waar zijn ze dan?'

Phil trok de stekker uit de contactdoos en stak hem naar me uit met een uitdrukking op zijn gezicht die boekdelen sprak. Hij vond duidelijk dat ik de grootste sukkel was die er op deze aarde rondliep.

'Aan de andere kant van dit. Hiermee hebben we verbinding met internet.'

'Het is een liveoptreden', zei TeXas.

'Daar draait het allemaal om met optreden in cyberspace', zei Los. 'We spelen voor iedereen die toegang heeft. Het is aan de fans om ons op te zoeken. We weten zeker dat we hier in de stad fans hebben, maar ook in L.A. hebben we publiek zitten en misschien in Rio. In Sydney kijken ook een paar gasten. En wie weet wie er nog meer kijken?'

'Dus het concert is wereldwijd *op internet*.'

'Ja, wat dacht jij dan?'

'Ik weet niet wat ik dacht.'

'De muziek is live en de visuele effecten ook. Alles digitaal – een compleet live multimediabeleving.'

Jezus! dacht ik. Hier zat ik dan, ik, die de ballen verstand heeft van technologie, de ster van een wereldwijde multi-mediabeleving! Ik zat aan mijn stoel vastgenageld met de camera op mij gericht – verbijsterd als een aap op een maan-expeditie, terwijl ik nauwelijks adem durfde te halen.

Klokslag middernacht begon de band met een oorverdovende knal te spelen.

Oké, dus je wilt weten hoe het klonk en wat voor muziek ze speelden?

Het eerste nummer was helemaal elektronisch. Om je een idee te geven: het klonk alsof ze allerlei geluiden opgenomen hadden. Een autoalarm, tikkende klokken, zelfs iets wat leek op weglopend badwater als je net de stop eruit hebt getrokken. Deze geluiden werden vermenigvuldigd, gemixt en gescratcht tot een mengelmoes van klanken die ik nog nooit eerder gehoord had. Dit techno noemen was een understatement!

Vervolgens zong TeXas een nummer genaamd 'Deep Blue'. Ze heeft een heel mooie, volle, fluweelachtige stem. Ik teken ervoor om zo te kunnen zingen.

Daarna zong Los. Het nummer heette 'Silver Surfer'. De tekst ging over de mensen die je op internet ontmoet – zo te horen een behoorlijk stelletje weirdo's. Ze hadden allemaal rare, zelfverzonnen namen: Alleenvoorhaar, Chocolade-chickie, De maffe maaier. In het liedje kwam een man voor die verliefd was geworden op een meisje genaamd Venus. En zij ook op hem. Maar toen kwamen ze erachter dat ze tienduizend lichtjaren van elkaar verwijderd woonden in een ander universum. En ze konden elkaar dus nooit in het echt ontmoeten. Het was zó treurig. Het deed me echt wat. Eerlijk waar, ik had een brok in mijn keel zo groot als een golfbal en ik kreeg hem niet doorgeslikt. Ik voelde hoe de tranen uit mijn ogen drupten. Djeezes, wat voelde ik me een ei!

Toen het bijna gedaan was, knikte Los naar me en fluisterde: 'Super. Precies wat we wilden zien.'

Hierna speelde Los een instrumentaal nummer op keyboard – tenminste als je het zo kunt noemen. De song was gebaseerd op een andere song. Een oud nummer van de Beatles dat ik herkende omdat het zo'n rare titel heeft, 'Magical Mystery Tour'. Vroeger dacht ik dat dat echt de spannendste reis was die je kon maken. Totdat ik erachter kwam dat het liedje gaat over een buslading vol bejaarden die een dagje naar zee gaan. Ik vroeg me af of de band enig idee had waar het origineel over ging. Door al dit 'laterale denken' kreeg ik weer een beetje grip op mezelf. Dus tegen de tijd dat het nummer was afgelopen, zag ik er weer min of meer representatief uit.

Later, toen het optreden achter de rug was, zaten we helemaal uitgeblust op de grond. En ik begon me eindelijk een beetje op mijn gemak te voelen. Ik hoorde erbij, ik was een van hen. We hadden samen deel uitgemaakt van een ervaring die zich nooit meer op exact dezelfde manier zou herhalen. We hadden opgetreden voor de hele wereld. Maar het was meer dan dat...

Tot nu toe had ik, als een kind, me geconformeerd aan een patroon dat bepaald werd door de plek waar ik toevallig geboren was. Ik was langzaam gevormd door de andere kinderen op school, mijn vrienden, mijn omgeving. Maar hier was ik voor de eerste keer in mijn leven bij mensen die ver buiten mijn normale wereldje leefden. Zij hadden de grenzen voor me verlegd, mijn wereld op een of andere manier groter gemaakt. En ook al waren ze ouder en hadden ze duidelijk een heleboel meer meegemaakt dan ik, toch leken ze me te accepteren.

We spraken niet veel. Los had muziek opgezet en we hingen op de grond gewoon een beetje te chillen. Phil had koffie gezet en ze rookten allemaal als ketters.

'Zeg, heeft iemand nog wat gehoord van die gozers over dat platencontract?' vroeg TeXas uiteindelijk.

'Welk platencontract?' vroeg ik, terwijl ik me behoorlijk schuldig voelde.

'Een of andere grote baas wil ons een contract aanbieden', zei Phil.

'Spielberg', zei Los.

'Echt?'

'Wil ons irl ontmoeten.'

'Nog niets van ze gehoord, trouwens.'

'Zoiets zal wel een hoop tijd kosten, denk ik', zei ik. En opeens moest ik ergens aan denken. 'Nu we het toch over tijd hebben, hoe laat is het eigenlijk?'

Phil trok een baan aluminiumfolie voor een dakraam weg.

'Het zal bijna vijf uur zijn', zei hij terwijl hij naar buiten gluurde.

'O nee.' Hij had gelijk. We knipperden in het vroege ochtendlicht. De tijd was zo snel gegaan. Het kon niet al bijna ochtend zijn.

'Ik moet ervandoor', zei ik.

'Het is nog te vroeg voor de eerste metro', zei Los.

'Maakt niet uit, ik loop wel', zei ik.

'Ik loop wel met je mee', zei Los.

TeXas gaf hem een veelbetekenende blik.

Maar hij negeerde haar, greep zijn regenjas en slingerde hem over zijn schouder.

'Kom, we gaan', zei hij.

En ik volgde hem de trap af – of liever gezegd, zweefde. Hij wilde me thuisbrengen!

We liepen tussen de stille huizen door. We wandelden echt ik weet niet hoe lang door de stille wijken richting de rivier. De dageraad brak door in een grijsroze sluier boven het water. Het was zó romantisch.

Ik had het op dat moment niet zo door, maar achteraf gezien was ik het meest aan het woord. Je weet wel hoe dat gaat als je niet zo'n ongemakkelijke stilte wilt laten vallen. En Los kon goed luisteren. Echt geïnteresseerd in alle triviale details van mijn leven. Maar terugkijkend realiseer ik me dat ik niet veel over hem te weten ben gekomen. Hij reageerde een beetje vreemd als hij iets over zichzelf vertelde. Zelfs heel normale vragen zoals 'waar wonen je ouders?' en 'waar ging jij naar school?' zorgden ervoor dat hij dichtsloeg.

We stopten op de brug en keken naar het water beneden ons. En precies op hetzelfde moment draaiden we naar elkaar toe. Ik weet het, normaal overkomt dit soort dingen mij nooit. Ik bedoel, wel met ontzettend lompe gasten die veel te dronken of te klein of sowieso niet mijn type zijn. Maar nooit met het soort verrukkelijke en ontzettend goed uitziende jongens zoals Los. Hij leunde voorover en veegde het haar uit mijn gezicht... En kuste me.

Het was een lange, langzame, veelzeggende kus.

Ik weet honderd procent zeker dat dat het meest ontroerende moment van mijn hele leven was. Zelfs als ik vijfennegentig word, zal ik nooit meer iets meemaken dat maar in de verste verte in de buurt komt van dit moment.

Maar na de kus draaide hij zich om en keek van me weg.

'Dat had ik niet moeten doen', zei hij. Hij stond voorover-gebogen over de leuning en staarde in het water.

'Jawel, dat had je wel', zei ik.

'Nee, je begrijpt het niet.'

'Heb je iemand anders?'

Hij schudde zijn hoofd.

'Zeker weten? Vast wel.'

(Niemand zo knap als Los kon onbezet blijven en voor het grijpen zijn.) 'Het is TeXas, nietwaar?'

'Nee. Het is niet TeXas. Er is niemand.'

'Maar wat is dan het probleem?'

'We zijn van verschillende... verschillende...' hij stokte en keek me gekweld aan.

O help, het was zo'n 'rijk meisje ontmoet arme jongen'-situatie.

'Omdat ik een verwend nest ben', zei ik luchtig. 'Dat maakt voor mij echt niet uit.'

Hij schudde opnieuw zijn hoofd.

'Het is iets ingewikkelder dan dat.'

'Hoezo dan?'

'Je gelooft me toch niet als ik het je vertel...'

'Probeer maar.'

'Laten we verder lopen', zei hij.

En terwijl we verder liepen kwam hij echt met een *ontzettende bak onzin*.

Kijk, als een jongen je eigenlijk toch niet leuk vindt, dan moet hij dat gewoon eerlijk zeggen. Ik kan het hebben. Net. Maar een totaal onzinnig en absurd verhaal verzinnen was echt niet nodig. Sorry hoor, ik mag dan af en toe niet al te snugger overkomen, maar wie dacht hij wel dat ik was?

'Is het niet eenvoudiger om gewoon te zeggen dat je me niet aantrekkelijk vindt?'

'Maar dat is niet het probleem, want dat vind ik wel.'

We liepen in gezamenlijke, verdoofde stilte verder. Pas toen we bij mijn huis kwamen, werd de betovering verbroken. Onze aankomst viel heel onfortuinlijk samen met het moment waarop mijn moeder de vuilnis buitenzette. En als het beeld van mijn moeder in haar ochtendjas en op pantof-fels met een vuilniszak in haar hand je niet met een schok met beide benen op de grond zet, dan weet ik niet welk beeld dat wel voor elkaar krijgt.

De afschuw die over mijn moeders gezicht trok toen ze Los zag, is moeilijk in woorden te beschrijven. Je zag het afgrijzen zelfs van boven naar beneden door haar hele lichaam trekken.

'Justine!' zei ze. 'Waar denk jij dat je mee bezig bent? Om op dit uur thuis te komen!'

Los deed een stap naar voren. 'Laten we het nu niet opblazen. Ik kan het uitleggen', begon hij.

Mijn moeder was zo kwaad dat ze alleen hier en daar een woord opving. Helaas waren dit woorden als 'optreden' en 'video'. Die haar nog furieuzer maakten.

Ik werd naar binnen verordonneerd en mijn moeder gooide de deur met een klap voor Los' neus dicht.

'Dat was ontzettend onbeleefd!' protesteerde ik.

'Onbeleefd!' begon mijn moeder. De uitbarsting duurde minstens een halfuur en verspreidde zich naar mijn vader, die boven aan de trap verscheen met scheerschuim op zijn gezicht.

'Wat heb je de hele nacht uitgespookt?' wilde mijn moeder weten, terwijl haar ogen vuur spuwden.

'Precies zoals we al gezegd hebben. Een video aan het maken. En kijk niet zo. We hadden onze kleren gewoon aan – de hele tijd!'

Dit zorgde voor een nieuwe uitbarsting van mijn moeders zijde.

'Weet je wat jouw probleem is – jij denkt dat onze generatie net zo geobsedeerd is door seks als jouw generatie. We weten inmiddels allemaal wel wat jullie in de jaren zestig zoal uitspookten', zei ik.

Op dat moment mengde papa zich in de discussie. En hij liet mij in niet mis te verstane woorden weten dat dit soort gedrag niet werd getolereerd. De hele nacht wegblijven – ook al hadden we de hele nacht Monopoly gespeeld, wat hij ernstig betwijfelde – werd onder geen beding gedoogd.

Weet je, ergens is het wel treurig. Wat ouders wel vergeten lijken te zijn – en misschien komt dat doordat verliefd worden en zo voor hen alleen nog een vage herinnering is uit een ver verleden – is hoe het is om jong te zijn. Hoe het voelt om aan het begin van alles te staan en niet oud en gedesillusioneerd te zijn zoals zij. Wat ze vergeten zijn, is dat iedereen in principe zijn eigen regels heeft. De mijne zijn:

Regel één: Zet nooit de eerste stap, voor het geval dat je afgewezen wordt.

Regel twee: Als hij de eerste stap zet, wees dan niet te gretig. Anders denkt hij waarschijnlijk dat *iedereen* je kan krijgen.

Regel drie: Doe het rustig aan. Zo stel je in ieder geval de teleurstelling uit wanneer je erachter komt dat je toch niet voor elkaar bestemd bleek.

Maar wie kan dat ouders duidelijk maken?

Hoe dan ook, het uiteindelijke resultaat van mijn 'soort gedrag' was dat ik levenslang huisarrest kreeg. Dat al mijn toelages bevroren werden. En dat ik 'die afschuwelijke jongen' nooit meer mocht zien.

7

Weet je nog hoe je als kind je adres in nieuwe schriften en dergelijke opschreef: eerst je naam en dan je slaapkamer, huis, straat, wijk, stad, land, werelddeel, het noordelijk halfrond, de aarde, het zonnestelsel, de Melkweg, het heelal, het oneindige, verder dan dat enzovoort?

...en dat je dan denkt dat dit is waar je bent, met alles om je heen? Jij bent het middelpunt en het waaiert allemaal een beetje om jou heen uit, totdat het aankomt bij wat er dan ook is voorbij het oneindige. Nou, zolang als ik me kan herinneren, heb ik dat in ieder geval zo ervaren. Ouders bewogen om mij heen als grote, vriendelijke planeten die een baan beschrijven. Landen als Finland waren echt een miljard lichtjaren van ons verwijderd. En India en Afrika lagen nog verder weg. Uiteraard werd mijn universum groter toen ik naar school ging en vrienden kreeg en zo. Maar in feite was ik altijd het middelpunt van alles. Nou, ik kan je vertellen, zo voelde het opeens helemaal niet meer. Sinds ik Los ontmoet had, leek het alsof ik een enorme stap naar de zijkant genomen had, weg uit het middelpunt. Het klinkt misschien een beetje raar, maar ik was niet meer het centrum van het heelal. Dat was híj. Ik denk dat dat hetgeen is wat mensen *liefde* noemen.

En er was nog iets. Toen ik nog een kind was, dacht ik altijd dat mijn ouders alles wisten. Zij waren gewoon een soort grote, goddelijke, zwevende, altijd aanwezige wezens die een oneindige hoeveelheid wijsheid bezaten. Toen ik groter werd, begon ik me af te vragen of ze wel zo wijs waren als ze zich voordeden. Nu, in mijn nieuwe gedaante van volwassene, realiseerde ik me dat ze nog niet eens een ieniemienie flintertje wijsheid bezaten. Eerlijk gezegd begon ik me af te vragen of ze überhaupt íéts wisten. Ik bedoel, kijk hoe ze Los behandelden? Ik had te horen gekregen dat ik hem niet meer zien of spreken mocht. Maar ze hadden niet bedacht dat er ook andere manieren zijn om met elkaar te communiceren. Ik e-mailde hem direct.

SOS
Word gevangen gehouden door kwade krachten
Contact IRL verboden
Advies a.u.b.

Maar Los was blijkbaar niet in de buurt van zijn computer want ik kreeg geen antwoord.

Eerlijk gezegd geloof ik niet dat ik die dag ook maar tot iemand doordrong.

Franz belde rond het middaguur.

'Nog bedankt voor de kaart en het geweldige verjaarscadeau en voor je aanwezigheid en levendigheid op het feestje gisteravond', zei ze.

'O Fran, schat, het spijt me echt ontzettend. Ik maak het goed met je, echt, dat beloof ik je.'

'Ik verwacht nu een verhaal in de trant van dat je je beide benen gebroken hebt, of dat je gearresteerd bent omdat je een meisjesbende leidde, of – op z'n minst – dat een gemaskerde inbreker je de hele avond vastgebonden en gekneveld aan een poot van je bed heeft laten zitten.'

'Ja, ja, allemaal, alleen dan nog veel *erger*.'

'Vertel...'

'Ik ben verliefd.'

'Aha...'

'Vergeef je me?'

'En wat is daar zo *erg* aan?'

'Hij houdt niet van mij. Of nou ja, hij houdt wel van me, dat weet ik, maar hij wil niet van me houden.'

'Nou, eerlijk gezegd kan ik hem dat niet echt kwalijk nemen. Ik zou ook niet verliefd op jou willen zijn, Justine. Je bent af en toe een egoïstische koe – vooral gisteravond.'

'O, hemel, ik weet het.'

'Ben blij dat te horen.'

Er viel een stilte. Ik snoot mijn neus in een tissue.

'Ik hoop niet dat je nu verwacht dat ik naar al je problemen ga zitten luisteren.'

'Geloof niet dat je me in dit geval van advies kunt voorzien.'

Ze zuchtte. 'Vertel, wat is het probleem?'

'Zit je?'

'Yep. Vertel.'

'Nou...' (waar moest ik beginnen?) 'Het komt er eigenlijk op neer dat we te verschillend zijn.'

'Tegenpolen schijnen elkaar aan te trekken.'

'We hebben totaal verschillende achtergronden.'

'Kijk naar Victoria en David Beckham.'

'Je begrijpt het niet. Hij komt uit een andere tijd.'

'Wat is ie... bejaard of zo?'

'Nee, niet zijn leeftijd, maar waar ie vandaan komt.'

'Uit... een dorp?'

'Nog verder weg...'

'...Duitsland?'

Ik ademde diep in.

'Het komt erop neer dat een lange relatie er niet in zit.'

'Waarom niet?'

Ik slikte een keer. 'Hij zegt dat hij uit de toekomst komt. Hij is een tijdreiziger...'

Aan de andere kant van de lijn klonk een gil van pret.

'Nou ja, je kan in ieder geval niet zeggen dat hij niet origineel is!'

'Hij zegt dat waar hij vandaan komt de mensen niet geloven in een monogame relatie. Dat het alleen maar egoïstische hebberigheid is en politiek niet correct.'

'Oké, ik neem mijn woorden terug. Toch niet zo heel origineel. Jongens zoals hij gebruiken dat excuus al sinds mensenheugenis.'

'Ik weet niet of ik hem nu moet geloven of niet.'

'Justine! Doe normaal en denk nou eens even na. Jezus, een tijdreiziger! Zie je dan niet dat hij een loopje met je neemt?'

'Ja, nou, misschien heb je wel gelijk. Ik bedoel, ik weet dat je gelijk hebt. Jezus, ik heb mezelf weer behoorlijk voor schut gezet.'

Franz maakte sympathiserende geluiden en stelde voor om in de stad een kop koffie te gaan drinken.

'Ik heb huisarrest.'

'Nee... waarom?'

'Mama betrapte ons toen we vanochtend vroeg thuis-kwamen.'

'Justine. Dat meen je niet! Je hebt toch niet... Niet met iemand vanuit de toekomst! (Opnieuw klonk er een onnodige gil van pret.) Of wel?'

'Helaas...' zei ik.

Twintig minuten later hing Hennie aan de lijn.

'Franz heeft me net verteld dat je knettergek geworden bent.' (Hennie is de wetenschapper onder ons.)

'Je klinkt niet erg meelevend.'

'Dat klopt.'

'Je kunt me ten minste een beetje ontzien.'

'Wanneer word jij eens wakker?'

'Je begrijpt het gewoon niet. Hij is zo adembenemend knap.'

'Dat vond je van alle vorige gozers ook.'

'Maar deze keer is het anders. Deze keer... is het Liefde.'

'Vergeef me dat ik je geheugen opfris, maar dat is precies wat je over al die anderen ook zei.'

'Ik wist wel dat je me niet zou begrijpen.'

'Justine. Word alsjeblieft eens wakker!'

Tommie belde niet. Maar toen ik naar mijn vaders studeerkamer ging, vond ik het volgende e-mailberichtje van hem:

Aan: JD
Van: http://www.tlc.nl
Hoor dat je je
:-(
voelt
Niet
:-)
Hoop dat je snel weer :-)
(Om smileys te kunnen lezen, kantel je hoofd opzij)

O, Tommie, wat moet ik toch zonder jou? Als je niet zo'n ontzettend watje was, zou ik bijna voor je kunnen vallen. Zucht.

De rest van de middag bracht ik onderuitgezakt op de bank door. Samen met de afstandsbediening. Ik zapte langs kanalen waarop voornamelijk infotainment uitgezonden werd. Ondertussen zond ik ontevreden gedachten in ouderlijke richting.

Ik overwoog verschillende manieren om wraak te nemen. Een stuk of honderd 'Liefde via de post'-catalogi met papa's creditcard bestellen. Of een startpakket aanvragen en mijn moeder opgeven als verkoopster van nepsieraden. Of het Australische informatienummer dat de tijd aangeeft bellen en 'per ongeluk' vergeten om weer op te hangen. Maar ik bedacht dat dit op lange termijn de hele situatie waarschijnlijk alleen maar slechter zou maken.

Mijn gevangenisbewaarders volgden elke beweging die ik maakte. Mijn moeder had zelfs een 'tablet' die ze onderaan in mijn schooltas had gevonden weggebracht voor analyse. Ze was woedend toen ze erachter kwam dat het alleen maar een Tic-Tac met pepermuntsmaak was en ze voor deze informatie gewoon de rekening van het onderzoek moest betalen. Ik probeerde mijn verzet te demonstreren met een zwijgzame daad door helemaal *niets te eten*. Tijdens de maaltijden babbelden mijn ouders uitgelaten en volop alsof ik onderdeel van het meubilair was. En zondagavond kookte mijn moeder ook nog eens mijn favoriete eten. God, het valt niet mee om een martelaar te zijn!

Tegen de tijd dat ik naar bed ging, was ik zo uitgehongerd dat ik de koelkast wel moest plunderen. Ik was net met een vol dienblad op weg naar mijn kamer toen ik langs papa's

studeerkamer kwam. Ik bedacht dat ik nog wel een keer mijn
e-mail kon checken.

En daar stond ie. Een e-mail. Voor mij.

Ik herkende het. Het was een couplet uit 'Silver Surfer'. Het
ging als volgt:

VENUS
brightest star on my horizon
(dat was het beste stuk)
A billion billion stars
Shine in my heart
While a billion billion hours
Keep us apart

Oké, het was een poëtische manier om iemand de bons te
geven, dat moet ik hem nageven.

Maar hij verwachtte toch zeker niet dat ik het nu opgaf,
of wel? Ik bedoel, hij had me toch min of meer verteld dat
hij gek op me was. Stralende ster aan mijn horizon, dacht
ik gelukzalig terwijl ik naar bed ging. Ik vond het eigenlijk
behoorlijk bemoedigend en positief.

De volgende ochtend – terwijl ik koesterde wat er nog
over was van het positieve gevoel – besloot ik dat de enige
remedie tegen liefdesverdriet bestond uit iets vinden wat nog
erger was.

Ik ging maar eens wat pijnlijke uurtjes steken in mijn
Millenniumproject. Want ik lag behoorlijk achter op schema.
Ik bedacht dat wat 'serieuze ijver' misschien ook wel iets
ging helpen in de ouderlijke situatie.

Ook al zette ik voortdurend alles wat in mijn macht lag in om ze op andere gedachten te brengen, tot nu toe had ik nog niet veel bereikt.

Het was trouwens maar goed dat ik besloot om aan het project te werken. Want we hadden dan weliswaar een heel jaar om eraan te werken, ik kwam erachter dat we het al over *twee dagen* moesten inleveren. En mijn Millenniumproject ging een meesterwerk worden! Met massa's beeldmateriaal, mooie graphics en kunstzinnige lettertypes. Allemaal op papa's computer.

Ik had een behoorlijk indrukwekkende stapel aan bronmateriaal verzameld. Uiteindelijk bleken er in ons huis op diverse plekken allerlei originele jarenzestigspullen te liggen. Ik had uiteraard foto's gevonden. Vreselijke foto's van mijn vader in een broek met wijd uitlopende pijpen en sluik haar dat boven op zijn hoofd begon en vettig achter zijn oren weer tevoorschijn kwam. En van mama met lange valse wimpers en zwartomrande ogen als van een pandabeer.

Een strooptocht door papa's geheime la had een paar echte juweeltjes opgeleverd. Een hele stapel briefjes en munten van voor het eurotijdperk en een krant uit juli 1967.

In mijn moeders kast had ik een echte, nauw aansluitende, zilverkleurige jurk met opengewerkte armsgaten gevonden. En in een oude handtas vond ik een treinkaartje uit die tijd. Ik had al deze dingen in een schoenendoos bewaard en was de hele ochtend bezig geweest met het inscannen van alles wat maar scanbaar was met papa's hogeresolutiekleurenscanner.

Al dit 'fascinerende, originele, visuele materiaal' leverde op zich al vele pagina's voor mijn werkstuk op. Daardoor bleef er slechts weinig ruimte over voor het schrijven van saaie tekst, maar dat was alleen maar mooi meegenomen.

Papa was een paar keer komen kijken of ik al vorderde. De eerste keer had hij verrast gereageerd en goedkeurende geluiden gemaakt. De tweede keer stelde hij een aantal naïeve en voorspelbare vragen. De derde keer bracht hij de net vergaarde kennis in praktijk. Een aantal van zijn vrienden die voor de lunch uitgenodigd waren, kreeg een rondleiding in zijn kleine, grijze, plastic rijk. Ik probeerde me te concentreren op mijn project en ving alleen maar stukjes op van zijn schaamteloze opschepperij.

'...alle informatie die ik nodig heb is hier, op mijn bureau – duivels vernuftig...'

'...alles wat ik nodig heb – scanner', zei hij terwijl hij naar de printer wees. 'Modem', de scanner aanwijzend. 'Het wonder van de moderne technologie, hè? Het is natuurlijk een logisch gevolg van hoe het met de aarde gesteld is. We kunnen geen regenwouden blijven kappen en ze over de hele wereld vervoeren, nietwaar? Ik zeg, ga de digitale supersnelweg op... Op de linkerbaan, hè! (bulderende lach.)'

En dat van iemand die nog steeds niet wist hoe hij de dagwaarde van zijn aandelen moest opzoeken zonder de hulp van geschreven instructies. Zielig hoor.

Met tussenpozen, tussen het harde werken door, probeerde ik Los te e-mailen. Maar elke keer kreeg ik dezelfde sobere boodschap:

Sorry
AFK

Ik belde Tommie.
'Wie is in vredesnaam afk?' vroeg ik.
'Familie van John F. Kennedy?' opperde hij.

'Niet erg waarschijnlijk dat die Los zijn computer gebruikt.'

'Heb je dat toevallig in je e-mail gevonden?'

'Hoe raad je het zo?'

'afk,' zei Tommie zuchtend, 'is een tla en betekent *"Away From Keyboard"*.'

Nou, dat was nogal een tegenvaller. Waar was hij, vroeg ik me af.

Tegen een uur of vier was ik klaar met scannen en vroeg ik me af hoe ik mijn arbeid van vandaag ging 'opslaan'.

Deze belangrijke overweging werd onderbroken door de stem van mijn moeder.

'Justine!' Ze verscheen in de deuropening met een theedoek in haar hand. 'Ik had net Henriëtte haar moeder aan de telefoon...'

'Hm.' (Misschien moest ik 'Opslaan als' proberen.)

'Ik dacht dat ik je geld gegeven had voor de jurk van Henriëtte die je geruïneerd had?'

'Ja...' (Of misschien gewoon 'Opslaan'.)

'Wat heb je ermee gedaan dan?'

'Nou, weet je, die zwarte jurk van mij...' (Of misschien moet ik eerst op 'Sluiten' drukken en dan op 'Opslaan'.)

'Die vreselijke, zwarte, hekserige jurk?'

'Mm.'

'Maar je geeft toch geen zestig euro uit aan een gescheurd vod?'

'Hij was niet gescheurd toen ik hem kocht.'

'Justine, hoe vaak heb ik al gezegd dat je je kleren niet met een schaar moet bewerken...'

'Jezus, kun je even wachten zodat ik me even kan concentreren, alsjeblieft?'

Ik selecteerde 'Sluiten'.

Het volgende moment werd het scherm wit.

Ik selecteerde 'Millenniumproject'. *Het bestond niet meer!*

Uren en uren hard werk. Weg. Ik zocht verwoed alle mappen door, maar tevergeefs. Jezus, niet te geloven!

'Kijk nou wat je gedaan hebt!' ging ik tegen mama tekeer.

'Justine. Ik heb helemaal níéts gedaan.'

'Wel waar, je hebt me afgeleid. En nu ben ik een hele dag werk kwijt en moet ik weer helemaal opnieuw beginnen – dat heb je gedaan.'

Mijn moeder stond in de deuropening en liet mijn machteloze woede over haar heen komen.

'Ik snap niet waarom je vader dat vreselijke ding gekocht heeft...' zei ze terwijl ze naar de computer staarde alsof het een of ander duur en onhandelbaar huisdier was – zoals een rottweiler of zo.

'Wat heeft ze nu weer gedaan...?' vroeg mijn vader terwijl hij naast mijn moeder in de deuropening verscheen. Hij wierp een blik op het scherm. 'O nee, niet weer...'

Ik glipte snel door de voordeur naar buiten, voordat er weer een ouderlijke tirade los kon barsten.

Ik moest gewoon weg uit die 'huiselijke sfeer', voordat ik zou sterven door verstikking.

Terwijl de voordeur achter me dichtsloeg, kwam er nog een laatste, tevergeefse brul van boven.

'Justine... vergeet niet dat je huisarrest hebt. Je gaat nergens naartoe!'

Ik stampte woedend onze straat uit.

Wie dacht ze wel dat ze was? Hier stond ik dan. Een volwassen, volgroeide vrouw. Ik ben zestien, oud genoeg om wilde uitspattingen te hebben zonder vervolgd te worden. Zelfs oud genoeg om zonder haar toestemming te kunnen trouwen. Of *kinderen te krijgen*, als ik gek of onzorgvuldig genoeg was. Wettelijk gerechtigd om van school te gaan en een baan te zoeken. En ze behandelde me nog steeds als een kind! Alsof ze denkt dat ik haar bezit ben.

Ik stampte verder zonder op te letten waar ik eigenlijk liep. Ik liep uren. De hele stad door. Ik moest een betekenisvolle en *permanente* manier vinden om te bewijzen dat ik mijn eigen *persoon* was. Iets wat echt moeite en moed kostte en niet genegeerd kon worden. Ik liep een hoek om. En op dat moment zag ik het bord:

TATTOO BOB – HUIDKUNSTENAAR

ORIGINELE ONTWERPEN IN LEVENDIGE KLEUREN

EIGEN ONTWERP MOGELIJK

NIEUWE NAALDEN VOOR ELKE KLANT

KOM BINNEN VOOR INFO

Ik bleef een paar minuten stilstaan. Iets permanents en onomkeerbaars en betekenisvol...

Ik duwde de deur open en ging naar binnen. Ik kwam in een wachtkamer terecht. Net of ik bij de tandarts was – met een balie en een bel. Ik drukte vastberaden op de bel. Een man in een singlet verscheen in de deuropening. Hij droogde zijn handen af aan een handdoek. En terwijl hij daarmee bezig was, leek het net of de enorme tatoeage van een python over de spieren van zijn arm kronkelde.

'Een momentje. Wat kan ik voor je doen?'

'Ben jij Bob?'

'Kom zo bij je, meissie.' Hij verdween in de deuropening en ik kon horen dat er afgerekend werd.

'Volgende week, zelfde tijd?' vroeg hij.

Een enorme gozer met het postuur van een worstelaar
beende voorbij. Hij had een halfnaakte dame op zijn
bovenarm.

'Zeg het eens?' zei Bob.

'Ik wil een tatoeage', zei ik. 'Een kleintje maar hoor.'

Bob bekeek me met een weifelende blik. 'Hoe oud ben je,
lieffie?'

'Achttien', loog ik.

'Kun je je legitimeren?' vroeg hij.

'Niet bij me.'

Hij keek nog argwanender.

'Tatoeages zijn permanent', zei hij. 'Het heeft geen zin
om terug te komen als ze erop zit omdat je van gedachten
veranderd bent. Je hebt haar voor eeuwig, zeg maar.'

'Dat weet ik', zei ik. 'Daarom wil ik er ook eentje.'

'Weet je moeder dat je dit van plan bent?'

Een beeld van mijn moeders gekrenkte gezicht verscheen
voor mijn ogen. En zorgde ervoor dat ik nog vastberadener
werd.

'Ik heb geen moeder. Ik woon bij een heks van een vrouw. Ze
heet Caroline', zei ik.

'Is dat zo?' zei Bob.

Ik knikte.

'Nou, wat had je in gedachten, wijffie? Een klein, lief, rood
hartje? Een rozenknop? Ik kan ook een schattig engeltje
doen, erg populair bij de dames.'

'Heeft u een papiertje?'

Hij overhandigde me een smoezelige blocnote en een balpen.
Ik schreef de letters:

i love. los.

Hij was niet erg onder de indruk.

'Ik kan er iets mooiers van maken dan dat', zei hij. Hij sloeg een vettige gekleurde brochure open en liet me een aantal grote, kleurige, kermisachtige letters zien.

'Nee, gewoon zoals ik het opgeschreven heb. Niets ingewikkelds.'

Hij keek oprecht ontsteld. Alsof ik zijn artistieke inzicht bekritiseerde.

'Maar iets van kleur, dan?' vroeg hij.

'Nee. Alleen zwart is prima.'

Hij schudde bedenkelijk zijn hoofd.

'Kleur kost niets extra's', zei hij.

Hoe dan ook, na een hoop overredingskracht van mijn kant stemde Bob toe dat hij de tatoeage zou zetten.

Ik moest vijf minuten gaan zitten van hem, om er nog even goed over na te denken. Voor het geval ik nog van gedachten veranderde. Maar ik veranderde niet van gedachten. Vijf minuten nadenken over al die pijn en al dat lijden versterkte alleen maar mijn vastberadenheid. Ik zal je maar niet in detail vertellen hoe het zetten ging. Het was een martelgang. En ik ben echt een watje als het op pijn aankomt. Weet je, ik denk dat ik pijn gewoon veel heftiger voel dan andere mensen. Maar daardoor werd het wel veel betekenisvoller. Ik verliet Bobs pand met de tattoo die vreselijk zeer deed. En de hele volgende dag wenste ik dat ik de tatoeage op een andere plek had laten zetten. Zitten was echt een hel.

Maar eerlijk gezegd stelde dat niets voor vergeleken met de mentale kwelling die ik onderging. Het ging ongeveer zo: je leert iemand kennen en je hebt het gevoel dat je hele wereld verschuift. Kleuren zijn feller. Het trottoir laat je stuiteren. Vogels fluiten fel en vrolijk op iedere tak. In elke winkel waar je komt, draaien ze je favoriete muziek. En om het allemaal compleet te maken, vindt hij jou ook een spetter. Het kan allemaal niet op. Maar, weet je, het lot is en blijft een onvermijdelijke spelbreker als het allemaal te goed gaat. Hij was verdwenen. Wat mij betreft kon hij net zo goed in het niets opgelost zijn.

Ik e-mailde hem en e-mailde en e-mailde – maar elke keer kreeg ik hetzelfde stomme antwoord:

Sorry

AFK

En toen ik op mijn allerdiepste dieptepunt was aanbeland, ontdekte mijn moeder de tatoeage. Ik zal je niet vervelen met het hele spektakel, maar het had zinnen als 'je lichaam verminken', 'risico aids en God-mag-weten-wat-nog-meer op te lopen', 'de rest van je leven er als een bouwvakker uitzien'. Om uiteindelijk – onvermijdelijk – te eindigen met de uitspraak 'eerlijk waar, Justine, soms vraag ik me af waar we in de fout zijn gegaan'.

Het resultaat van deze tirade was dat ik een tas pakte met mijn tandenborstel en Fred de Beer en op weg ging naar nummer 67 en een nieuw leven.

8

Ik belde aan bij nummer 67.

Ik stond verscheidene seconden met ingehouden adem te wachten. Ingespannen probeerde ik elk geluidje binnen in het huis op te vangen. Maar er gebeurde niets.

Ik belde opnieuw aan – alleen deze keer nog harder. Er gebeurde nog steeds niets. Waar waren ze? Ik liep naar het raam en gluurde naar binnen. Er was niemand in de voorkamer.

Via een poortje liep ik door een berg troep naar de achterdeur. Ik klopte hard op de deur. Nog steeds geen antwoord. Ik probeerde de deurklink. De deur zat niet op slot.

Een berg bestek met aangekoekte etensresten lag in de gootsteen. Er stond een fles bedorven melk, de bovenste helft was helemaal ingedikt.

Het zag ernaar uit dat hier al dagen niemand meer geweest was.

'Hallo', riep ik. Mijn stem galmde hol door het ongemeubileerde huis.

Ik liep op mijn tenen door de hal.

'Is er iemand?'

Ik hoorde een tikkend geluid van boven komen.

'Hallo, ik ben het, Justine.'Ik liep de trap op naar boven, hopend...

In de slaapkamer bolde een lap die als gordijn dienstdeed op door de tocht. De ruit waar de lap voorhing was gebroken. Ik had nog nooit een kamer gezien die er zo troosteloos uitzag. De slaapzak van Los lag opgerold in een hoek van de kamer, ernaast stond een mok koude thee. Behalve deze twee dingen was de kamer helemaal leeg.

Ik voelde een brok in mijn keel en tranen welden op in mijn ogen. Ik slikte. Ik was nog niet op zolder geweest. De zolder had waarschijnlijk geluidsisolatie. Er was nog steeds een kans...

De zolder was ook koud, kaal en leeg. Geen enkel teken van leven. Behalve... wacht even... de computer... om een of andere reden stond die nog aan...

Ik was goed opgeleid wat elektrische apparaten betreft. Elke keer als we thuis het huis verlieten, werden ze niet alleen uitgezet, maar moesten ook de stekkers eruit. Papa's regel. Ik denk dat hij dacht dat als je dat niet deed, al onze elektrische apparaten dan op tafel zouden gaan dansen. En dat ze daarmee de elektriciteitsrekening flink op zouden drijven. Op een ontzettend verantwoordelijke manier liep ik naar de computer om hem uit te zetten. Hé, wacht even, er hing een briefje op. Met de tekst:

Aan het surfen
Om te uploaden gebruik wachtwoord: serendipity?
:-)
XJE
L8R

Kies J om verder te gaan, N om terug te keren naar het
hoofdmenu
J N

Surfen! Waar in vredesnaam? xje? ...xje? Opeens viel het
kwartje. Ik zie je... l8r. Later... Maar waar?
Er was maar één manier om daar achter te komen. Ik ging
achter de computer zitten en typte 'j' in. Er verscheen een
bericht:

Wil je uploaden?
Kies J om verder te gaan, N om terug te keren naar het
hoofdmenu
J N

Uploaden? Wilde ik uploaden? Klonk riskant. Maar aan de
andere kant, wat had het voor zin om terug te gaan naar
het hoofdmenu? Dus haalde ik een keer diep adem en koos
opnieuw 'j'. Vervolgens klonk er een hoop gekraak en gezoem
terwijl de computer aan een soort elektronische verwerking
begon. Toen het gezoem en gekraak ophield, verscheen er
een foutmelding.

Waarschuwing
Toegang beperkt
Om verder te gaan, geef wachtwoord:..............
Kies vervolgens een van de volgende mogelijkheden:
Annuleren Doorgaan

Ik haalde opnieuw diep adem en typte SERENDIPITY? en selecteerde 'Doorgaan'.

Het gezoem en gekraak werd nu nog luider en het scherm knipperde en ruiste. Vervolgens kwam het beeld tot rust en zond een helder stralend wit licht uit. Er verscheen een onheilspellend bericht:

Waarschuwing
Herhaling
Uploadprocedure kan niet worden uitgevoerd

Wilt u nog steeds doorgaan?
Kies J om verder te gaan, N om terug te keren naar het hoofdmenu
J N

Ja, natuurlijk wilde ik verder gaan. Jezus, wat een ophef over een stomme, onnozele procedure. Ik selecteerde weer 'j'. Op dat moment verscheen er langzaam een beeld. Het beeld liep aan de bovenkant van de monitor af en het scherm werd helder. Weer begon het te knipperen en te ruisen. Een beeld. Weer helder. *Hallo.* Dat was ik daar op het scherm, of niet? Alsof er een camera op me gericht stond. Achter mijn beeltenis zag ik een raster van wit licht. Er verscheen een nieuw bericht in beeld:

Let op
Bezig met uploaden
Deze procedure kan niet onderbroken worden

Op dat moment begon er zo'n klein zandlopertje als een wervelwind rond te zoemen. Een afschuwelijk statisch ruisend geluid vulde de hele kamer. Vervolgens verscheen er een heftig knipperend uitroepteken op het scherm.

De computer maakte nu spastische 'ik sta op het punt te exploderen'-geluiden. Gekartelde stralen die op bliksemschichten leken, schoten over het scherm.

Ik wist het wel. Dat had ik weer! In een reflex leunde ik voorover en trok de stekker uit de muur.

Het scherm werd zwart.

Het enige wat ik kon zien was het nabeeld van de bliksemschichten in mijn ogen, eerst rood en daarna groen.

Langzaam verdween het effect... wacht eens even... wat was er met de zolder gebeurd?

Ik draaide me om. De zolder was weg. De ruimte was nu een raster van licht. Witte randen met een groene ondergrond.

Ik deed een stap naar voren en stak mijn hand uit om iets tastbaars en bekends beet te pakken. Er was helemaal niets tastbaars en bekends. *Zelfs geen muren. Er waren geen muren meer...*

O nee! Jezus! Shit! Nee, nee, nee!

Verman je, Justine. Zulke dingen gebeuren niet zomaar.

Diep ademhalen. Tot tien tellen. Jezelf knijpen. Ogen sluiten en weer openen...

Het raster was er nog steeds!

Ik was in het internet.

Ik keek behoedzaam om me heen. Mijn ogen wenden langzaam aan het oogverblindende licht. Ik kon inmiddels onderscheiden dat de vlakken van het raster gemerkt waren met kleine, witte elektronische letters. Net zoals de laden in een archiefkast. Ik begon de kaartjes die het dichtstbij waren te lezen.

Albast... Albatros... Albumine...

Oké, ze waren alfabetisch geordend. Lekker Belangrijk! Als dit het internet was, dan was het dus precies zoals ik altijd al gedacht had. Het was een omgeving die zo te zien net zoveel spanning en sensatie teweegbracht als de Dikke Van Dale. Zou dat nou dat *surfen* zijn waar iedereen het over had? Het voelde meer alsof je per ongeluk opgesloten was in een grote elektronische naslagbibliotheek.

En waar was Los? Trouwens, waar was iedereen? Waar was de uitgang? Was er een uitgang? Met een vreselijk wee gevoel begon ik mezelf af te vragen waar ik nu weer in beland was. Ik keek de ruimte rond voor inspiratie. Ik zag de d's.

Er was een la met mijn naam erop:

Duval – Justine

Bizar! De la zat niet goed dicht. Ik gluurde naar binnen. Daar lag het – mijn kostbare 'geschiedenisproject' – alles wat ik in had gescand. Ik had het dus toch niet gewist. Het zat verpakt in een mooie, transparante plastic map en was gemerkt met de naam die ik het gegeven had:

Millenniumproject

Ik keek in de map – daar waren de munten en briefjes, de krant en de inhoud van mijn moeders oude handtas – ik tilde de map eruit.

Wat zou ik nu doen? Ik keek rond op het internet voor aanwijzingen. Op dat moment viel mijn oog op een kleine flitsende vorm. Het werd als een icoon verlicht: een rechthoek in de vorm van een deur, geflankeerd door kolommen met daarbovenop een driehoek. Terwijl ik dichterbij kwam, werd het groter en groter. Misschien was het wel een deur. Op de deur stond een nummer: 67. Het zag er bijna echt uit. Ik stak mijn hand uit om de deur aan te raken. De deur zwaaide open.

Door de opening zag ik een geplaveid pad dat naar een vervallen houten poort leidde. Ik staarde intens. Door deze deur leek je het internet te verlaten en terug te keren naar de werkelijkheid.

Behoedzaam liep ik door de deur en geloof het of niet, ik stond buiten bij de voordeur van nummer 67. Ik was terug in de *echte wereld*. Pfff! Dat was een opluchting! Mijn eerste poging tot surfen - kort maar krachtig! Maar wat maakte het uit!! Ik was een beginner, niet dan?

Ik feliciteerde mezelf net met het best wel goed omgaan met de situatie, toen ik de voordeur achter me hoorde dichtslaan. Ik draaide me vliegensvlug om en stond dom naar de deur te staren en vroeg me af wat ik nu moest doen. Misschien was Los toch binnen! Ik gluurde door de brievenbus, maar het huis zag er nog even verlaten uit. Waarschijnlijk was het de wind geweest.

Toen werd het me allemaal een beetje te veel. Waar was Los? Hij kon *overal* zijn. Ik besloot daar en toen dat ik, zelfs als ik de hele aardbol zou moeten overvliegen, doorzoeken en uitkammen, hem hoe dan ook ging zoeken én vinden. Hoe ver kon een meisje gaan zonder haar zelfrespect te verliezen? Oké - wat kan het schelen - als het om zo'n hitsige vent gaat, wie maalt er dan nog om zelfrespect? Maar hem vinden kon wel eens veel tijd kosten en op dit moment had ik niet veel keuze. Er zat niets anders op dan naar huis terugkeren en de ouderlijke furie ondergaan.

Eerlijk gezegd had ik me niet meer zo neerslachtig gevoeld

als toen... toen... Ik kon niet eens een voorbeeld verzinnen
om dit gevoel mee te vergelijken, zo neerslachtig voelde ik
me.

Op dat moment reed er een taxi door de straat. In een reflex
hield ik de taxi aan en stapte in.

'Waar naartoe, wijffie?'

Mismoedig gaf ik de taxichauffeur mijn adres.

Ik zal het je eerlijk zeggen, in de taxi heb ik even stevig
gehuild. Tegen de tijd dat we bij ons huis stilhielden was
mijn hele gezicht rood en vlekkerig.

'Dat is dan acht en zes', zei de taxichauffeur.

Acht en zes? Waar had die man het over? Acht euro zestig?
Op hetzelfde moment herinnerde ik me dat ik geen geld bij
me had. Maar, zo dacht ik, mama wil me vast wel wat geven.

'Vindt u het erg om even te wachten? Ik moet naar binnen
om geld te halen.'

Ik belde aan. Tegelijkertijd merkte ik echt iets heel erg
vreemds op...

De voordeur had een andere kleur.

Ik draaide me om om te controleren of ik niet per ongeluk
bij het verkeerde huis aan stond te bellen. Ondertussen werd
de voordeur opengedaan en stond ik oog in oog met iemand
die ik nog nooit eerder gezien had. In plaats van mijn moeder
stond er een ontzettend grote vrouw in een gebloemd schort
met geschulpte rand in onze gang met een houding alsof het
haar huis was.

'Ja?' zei ze.

Ik staarde langs haar heen de gang in. Ons dure tapijt was
vervangen door versleten linoleum met een print van bruin
parket. In het midden van de gang lag er over de hele lengte
een door motten aangevreten, gebloemde loper overheen.

'Nou?' zei de vrouw.

'Ik geloof...' stamelde ik terwijl ik de verschijning van de hal op me in liet werken. Bruin linoleum, groen en crèmekleurig behang met reliëf, de bedompte geur, een afgrijselijke reproductie van een dame met een blauw gezicht aan de muur, een kapstok met haken die muzieknoten op een notenbalk voor moesten stellen – en dat alles vergezeld door het lugubere tikken van een muurklok in de vorm van een zon. Wat een nachtmerrie!

'Ik geloof dat ik het verkeerde huis heb', stamelde ik.

'Naar welk huis ben je op zoek?' vroeg ze.

'Nummer 122? De Duvals?'

'Dit is nummer 122. Maar hier woont niemand met die naam', zei ze.

'Maar dat kan niet, er moet een vergissing in het spel zijn...' zei ik, terwijl ik haar als een idioot aanstaarde.

'Jouw vergissing, niet de mijne', zei ze en deed de deur voor mijn neus dicht. En toen zag ik dat in plaats van de mooie, zware, koperen cijfers die mijn ouders op de deur hebben, er hier goedkope, witte plastic cijfers op de deur geschroefd zaten.

Maar het was niet het verkeerde huis. Het had dezelfde stoeptegels en hetzelfde poortje en alles...

De taxichauffeur was uitgestapt en stond op de stoep.

'Wat is het probleem?' vroeg hij.

Een op zichzelf vrij onschuldige vraag, maar eentje die niet zo makkelijk te beantwoorden was. Diverse antwoorden schoten door mijn hoofd zoals: het lijkt erop dat een krankzinnige vrouw in mijn huis is getrokken en het interieur heeft veranderd. Ik heb een extreem lange en vreemde droom met rare kronkels, kunt u me alstublieft wakker schudden.

Of, hebt u een momentje terwijl ik het uitschreeuw, ik ben namelijk volkomen geschift geworden.

In plaats daarvan zei ik: 'Ik heb helaas geen geld bij me.'

De chauffeur keek me uiterst gekrenkt aan. Hij wees op de transparante map en zei: 'Maar wat zit daarin dan?'

Ik stond er als een slappe vaatdoek bij terwijl hij de map van me afpakte. Hij pakte een blauw briefje waarop tien gulden gedrukt stond uit de map en begon wisselgeld uit te tellen. 'En een fooi, dank u heel hartelijk', zei hij snibbig en hij stapte weer in zijn taxi en reed weg.

Daar stond ik dan, op straat. Voor míjn huis, want dat wist ik zeker. Alleen de voordeur was niet zwart meer, maar had een rare, olijfgroene kleur. Het kon écht niet het verkeerde huis zijn. Aan de ene kant stond nummer 123 en aan de andere kant nummer 121. En het was ook niet de verkeerde straat, want aan de overkant was het water met de woonboten. Ik liep zelfs naar het begin van de straat om het naambordje te controleren.

Maar er was hoe dan ook iets vreemds aan de hand. Ik probeerde er mijn vinger op te leggen. Om te beginnen was er iets met de auto's. Ze leken wel uit een oude film te komen. In plaats van de standaard bmw's en Mercedessen stonden er alleen oude auto's.

Misschien was er een of andere bijeenkomst van een oldtimerclub bij ons in de straat. Of misschien waren ze in onze straat een film aan het opnemen. Dat was het natuurlijk! Een filmploeg had dit allemaal geënsceneerd om een remake van *Ciske de Rat* of zo op te nemen. En ze hadden onze voordeur geverfd – en die vrouw met het gebloemde schort was natuurlijk een actrice...

Ik liep langzaam onze straat door en probeerde dit scenario

te rijmen met wat mijn zintuigen waarnamen.

Een paar honderd meter verder werd deze theorie volledig onderuitgehaald. Het paviljoen – mijn ouders hadden het altijd over 'dat vreselijke ding' – dat zo'n tien jaar geleden in het park was neergezet en dat echt een enorm gevaarte was, een onmiskenbaar oriëntatiepunt, stond er niet meer... Niemand kon dat zomaar verplaatst hebben. En verderop, in de verte, kwam er uit de schoorstenen van de kracht-centrale – die al zolang ik me kan herinneren tot een ruïne vervallen is – rook. De centrale werkte weer.

Ik liep met knikkende knieën verder. Gelukkig stonden het metrostation en de C&A er nog net zo droevig en gedateerd bij als altijd, alsof er niets gebeurd was. Voor het metro-station stond een krantenverkoper.

Ik pakte een krant.

De datum op de krant was 29 juli 1967.

Negentienzevenenzestig!

Dat was meer dan veertig jaar geleden!

O... mijn... god!

Jezus!

Jezus Christus!

9

Het ergste aan het willekeurig naar een andere tijd getrans-
porteerd worden was te erkennen dat het *onmogelijke*
mogelijk was. Mijn hersenen probeerden op alle mogelijke
manieren chocola te maken van het totaal onacceptabele
idee dat ik, Justine Duval, een gewone, gezonde meid uit de
eenentwintigste eeuw, *terug in de tijd was gereisd.*
Op dat moment realiseerde ik me met een verbijsterende
helderheid dat Los me dus niet voor de gek had gehouden.
Hij was de hele tijd bloedserieus geweest. Alles wat hij
verteld had over tijdreizen, en waarvan Tommie en Franz en
Henny hadden beweerd dat hij me in de maling nam en aan
het lijntje hield, was dus helemaal geen grap geweest. Dat
verklaarde ook waarom hij de hele tijd verdween. Waarom
hij er nooit was. Hij was surfen - ergens in het internet
geüpload. Maar waar? Waar was hij nu?
Ik staarde wezenloos voor me uit in een poging deze plotselinge en zeer verontrustende wending tot me door te laten
dringen.
'Ga je die krant nog kopen, snoes? Het is hier geen openbare
bibliotheek', sprak de krantenverkoper me aan.
Ik rommelde in mijn plastic map en pakte het wisselgeld van

de taxichauffeur. Ik gaf de verkoper een handvol kleingeld. 'Alsjeblieft, liefje, da's genoeg.' Hij gaf me een paar koperen munten terug. 'Niet van hier zeker?'

Ik knikte. Eerlijk is eerlijk, ik voelde me niet als een inwoner van deze stad – waar ik geboren was of, nou ja, geboren zou worden – maar als een complete vreemde.

'Nou bonjour, buenos dias, auf wiedersehen, dan maar', zei hij en tikte aan zijn pet. Daarna zette hij zijn verkoperstem op: 'Kran-ten, kran-ten, koop hier uw krant...'

Tegelijkertijd klonk het oorverdovende lawaai van brullende motoren en een stoot motorrijders kwam aangereden. Nou, die motorrijders waren door de jaren heen niet erg veranderd. Behalve dan dat deze Hells Angels er een stuk of twintig jaar jonger uitzagen dan de motorrijders die ik gewend was in de stad te zien.

De krantenverkoper was in gesprek met een andere klant. Een oudere man met een vilten zwarte hoed op. Ze voerden een gesprek over de stuitende slechte neigingen van de 'jeugd van tegenwoordig' en maakten daarbij afkeurende geluiden. Op dat moment viel mijn oog op iets anders. Een straatartiest had met krijt een stoepschildering gemaakt. Ik liep het plein over om ze beter te bekijken. Ik zag een zeer gedetailleerde versie van de Mona Lisa en een krijttekening van witte paarden die uit psychedelische golven tevoorschijn kwamen. De tekeningen waren echt briljant. Naast de tekeningen lag een hoed met maar een paar koperen muntjes erin. Dus gooide ik er eentje bij. Misschien bracht het geluk. Mijn oog viel op een onbeschilderde stoeptegel... iets had mijn aandacht getrokken. Vier letters stonden erop:

LOVE.

Vier kaarsrechte hoofdletters, gevolgd door een punt.

Mijn hart sloeg over. Plotseling scheen de zon feller en enthousiaster, voorbijgangers liepen met verende tred, het plein was geen gewoon plein meer – het was een plek van betekenis geworden. Los was hier geweest, en zo te zien nog niet zo heel lang geleden. Het krijt zag er nog vers en fris uit. Misschien was hij nog wel in de buurt. Maar wáár?

Met een zoekende blik speurde ik het plein af – hopend op een glimp van een bekende zwarte regenjas of een hoofd vol warrig haar met highlights. Maar hoe ik de omgeving ook afspeurde, hij was nergens te bekennen.

Ik ging op de rand van de fontein zitten en wachtte.

Het was een drukke dag, mensen liepen voorbij, op weg naar de C&A of richting het metrostation. Ik voelde me verlaten terwijl ik naar al die mensen keek die voorbijkwamen. Honderdduizenden gezichten passeerden en ik wist dat het gezicht van Franz of Henny er niet tussen zou zitten, want *ik was in een andere tijd.* En ik kon ook niet naar Moccacinno – ons favoriete café – gaan voor een troostende beker warme chocolademelk, want *het café bestond nog niet.* En ik zou straks ook niet met Tommie af kunnen spreken bij Dudok, want dat was er ook nog niet. En ik kon ook niet naar zijn huis gaan of hem opbellen, want *hij was nog niet geboren!*

Ik begon me erg eenzaam en behoorlijk verloren te voelen. Terwijl de tijd verstreek, begreep ik dat Los niet meer zou komen.

'Vandaag nog hier, morgen verdwenen.' De woorden van TeXas kwamen met een bittere klank mijn geheugen in denderen.

Maar waar moest ik naartoe? Wat moest ik doen? Ik telde de rest van het geld. Ik had zeven grote koperen stuivers en een kleine ronde munt waarop *10 cent* gegraveerd stond. Hiermee ging ik het niet lang volhouden. Ik begon al een beetje trek te krijgen. Wat deed een zwerver zonder geld in 1967? Op een bankje in het park slapen? Bedelen? Stoeptekeningen maken? Gesteld dat ik nog steeds een redelijk paardenhoofd kon tekenen – de man van de psychedelische paarden met lichamen en benen en al had maar een paar muntjes gekregen. Het was heel goed mogelijk dat ik zou verhonge-ren.

Ik bekeek de inhoud van de plastic map en hoopte op inspi-ratie. Er zat nog een treinkaartje in. Een kaartje naar het noorden, naar oma. Dat was het! Ik zou gewoon naar oma gaan. Oma had haar hele leven, zeg maar zo'n beetje sinds het begin van de middeleeuwen, in hetzelfde huis gewoond. Ik gebruikte de stuivers om met de metro naar het station te reizen.

In de metro zat een jongen van mijn leeftijd die *voor me opstond en zijn plaats aanbood*. Ik ging zitten en vroeg me af of ik er soms zwanger uitzag of zo.

De mensen om me heen zagen er allemaal zo netjes en verzorgd uit. Nergens een gescheurde spijkerbroek of afge-trapte gympen te bekennen. Mannen droegen nette pakken of echte overjassen of regenjassen en iedereen had echt ongelooflijk keurig gepoetste schoenen. Weet je, ik durf te wedden dat er niet een was met een gat in zijn sok. En de vrouwen hadden allemaal gepermanent haar, net als oma, zelfs de jongere vrouwen – ze zagen er echt uit als vrouwen die zich veel ouder kleden dan ze zijn, in degelijke wollen mantelpakjes en met handtassen met echte handgrepen, die ze stijf onder hun arm geklemd hielden. Geen wonder dat er binnenkort een revolutie zou plaatsvinden van de jeugd.

Jezus, ze moesten echt eens goed wakker geschud worden. Andere passagiers gaven me steeds vreemde blikken. Ik realiseerde me opeens dat ik er in hun ogen wel ontzettend sjofel uit moest zien. Ik bedoel, ik had een heel gewone zwarte coltrui en een zwarte spijkerbroek aan. Maar nu ik erop lette – er was verder niemand die helemaal in het zwart was, zoals ik. Alle vrouwen droegen iets in pastelkleuren: galblaasgeel, gribusgroen en ranzig roze. Ik voelde me de rest van de reis net een kraai die een kooi vol met afkeurende parkietjes was binnengevallen.

Ergens tussen 1967 en wat ik vroeger onschuldig aanduidde als 'het heden' had iemand miljoenen uitgegeven om het station een verbluffende opknapbeurt te geven. Ze hadden alles aangepakt – alle traditionele, kitscherige, grauwe elementen waren vervangen door staal en glas en een mozaïekvloer met marmereffect. Overal stonden kleine, fel verlichte kioskjes met namen als Billen & Benen, Boeketje van Edje en Op en Neer. En in plaats van de oude stationsrestauratie van hout, koper en marmer stond er een ouderwets gezellig eethuis van plastic en hardboard.

Nou, in het jaar 1967 waren die uitgegeven miljoenen voor de metamorfose nog maar een schittering in het oog van de architect. Alle goeie ouwe traditionele, kitscherige elementen waren nog in volle glorie aanwezig. Samen met een hele lading goeie ouwe traditionele, kitscherige mensen. Eén blik was genoeg om jezelf te overtuigen dat deze mensen echte burgers uit het jaar 1967 waren. Neem die hoeden bijvoorbeeld – eerlijk waar, elke man droeg er een – alsof het een soort sociale rangorde weergaf. Bolhoeden voor het gekrijt-streepte kantoorpersoneel, een soort grijsbruin vilten ding voor de gemiddelde man in regenjas en petten voor iedereen die niet in een van de andere twee categorieën thuishoorde. Ik drentelde wat heen en weer bij de Bruna, een aller-schattigst kioskje met echte mahoniehouten rolgordijnen. Op de balie lagen tijdschriften met geruststellende foto's van modellen die recht deden aan het imago van de 'swingende jaren zestig'. Ze droegen heupbroeken met wijd uitlopende pijpen en extravagante make-up en deden hun best om zich niets aan te trekken van de vreselijk pijnlijke en absoluut niet hippe koppen op de omslagen: 'Te gekke kledij', 'Tijd voor een knalfuif' en 'Doe mee!'.

Uiteindelijk verscheen er een medewerker van de spoor-wegen in een keurig uniform, compleet met vest, die een houten bord op een paal bevestigde. De verschijning van de man zorgde ervoor dat de menigte naar voren kwam... en wel met één heel beleefde stap. Het bleek dat hier de trein kwam die naar oma ging en dat hij stopte op alle tussengelegen stations.

Toen de trein binnenliep, werden er deuren keurig en beleefd geopend en was er veel ge-'Na u' van de heren. Ik vond een lege plek en liet me dankbaar op de bank zakken.

Het was zo'n schattige trein – zo authentiek. De trein had veel houten panelen en koperen beslag en van die kleine visnetjes voor je bagage. En onder de netjes hingen van die schattige posters in koperen lijsten die de geneugten verkon-digden van zonnige vakanties aan het strand en de wijsheid predikten van het goed verzekeren van je huis en naar welk café je moest om nieuwe vrienden te ontmoeten. Dat soort dingen.

Mijn rijtuig werd snel voller. Er klonk een fluitsignaal en de trein trok op.

Ik staarde uit het raam en vroeg me af of ik de juiste beslissing had genomen. Misschien was Los op dit moment wel op het plein waar ik de stoeptegel had gezien. Somber staarde ik naar het voorbijglijdende landschap van door roet zwart geworden bakstenen, groezelige rangeersporen en afbrokkelende spoordijken. Van tijd tot tijd onderbraken kleurige posters met reclame voor producten waar ik nog nooit van gehoord had het landschap. Er was er een voor waspoeder genaamd Radion met de slogan 'Radion wast witter'. Op de poster was een huisvrouw met een brede glimlach op haar gezicht bezig de was buiten te hangen. Ze spreidde een tevredenheid tentoon waar ze heden ten dage voor gelyncht zou worden. Een andere poster maakte reclame voor Van Nelle-koffie. Een foto van een man in een net kakiuniform inclusief slobkousen stond er stoïcijns bij. Een gebouw had een afbladderende inscriptie voor iets wat de Koninklijke Lever Unie werd genoemd – de letters waren helemaal vervaagd en amper te lezen. En langs het spoor stonden ik weet niet hoeveel metalen borden met reclame voor een of ander merk zeep.

De trein reed verder door de buitenwijken van de stad, die er ongelooflijk groezelig uitzagen. In dit verre, wasdrogerloze tijdperk leek iedereen wel totaal in beslag genomen door wassen en wasgoed. Elke tuin had een wirwar van waslijnen met in de wind opbollende lakens en ondergoed.

Ik moet in slaap gevallen zijn, want toen ik weer uit het raam keek waren we al ergens op het platteland. Koeien voor wie de gekkekoeienziekte nog een toekomstige bedreiging was, stonden tevreden te herkauwen. Een tijdloze bezigheid die hun nakomelingen, de nakomelingen van hun nakomelingen en nog vele komende rundergeneraties zouden verrichten. Het hele tafereel zag er zo bekend uit dat ik me een moment afvroeg of ik alle vreemde gebeurtenissen van de afgelopen uren niet allemaal gedroomd had. Ik was op weg naar oma. En zo te zien zag alles er heel normaal uit.

Vervolgens richtte ik mijn blik op mijn medepassagiers. Ze zaten er allemaal bij alsof ze zich verkleed hadden voor een aflevering van *Ja zuster, nee zuster*. Een oudere heer droeg een jas met een kraag van krullend, zwart bont. Een gepermanente dame droeg een lichtblauw mantelpakje van een wel zeer stijve stof. Een oude dame zag er erg aristocratisch uit met haar hoedje waarvan de achterste rand omhooggevouwen was. En er was een man die eruitzag als een detective uit een stripboek. Hij droeg een hoed en de kraag van zijn regenjas was opgezet. Het had me niets verbaasd als bij het volgende station de deur van de coupé opengezwaaid zou worden en opa binnen zou stappen terwijl hij luid 'In een rijtuigie' zou zingen.

Bij het volgende station stond de trein geruime tijd stil. Slaperig staarde ik door het raam naar buiten. Een duif was halfslachtig bezig zijn veren glad te strijken boven op een enorm stationsbord. Terwijl de trein weer in beweging kwam, zag ik zo'n zelfde bord voorbijglijden. Maar op dit bord stond er iets bijgeschreven: LOVE.

Het stond er in precies dezelfde letters als op de stoeptegel op het plein in de stad, in verse witte krijtletters.

Mijn hart sloeg dit keer een dozijn keer over. Dit was zó bizar. Los was in de buurt, maar wáár? Wat moest hij nu in vredesnaam op het platteland? Het platteland!

Ik moest de trein uit. Maar – paniekaanval – er zat geen handvat op de deur! De trein begon steeds sneller en sneller te rijden.

'Wacht even, jongedame', zei de detectivemeneer. 'U bent te

laat om nog uit te kunnen stappen. U hebt uw halte gemist.'
Ik liet me weer op de bank zakken. Verscheidene mensen in
de coupé deden behulpzame suggesties. Zoals uitstappen op
het volgende station en de trein terugnemen en meer van dat
soort dingen. En er klonken meelevende geluiden.
Terwijl ik nog herstellende was van al deze aandacht
verscheen er een ober in een keurige witte jas. Hij liep door
de gangen en klopte op de deur van elk rijtuig. Bij elke deur
stak hij hetzelfde verhaal af: 'Middagmaal. Eerste gang.
Neemt u alstublieft plaats in het restauratierijtuig.'
De aristocratische dame stond op en verdween de gang in.
Mijn maag rommelde. Ik had inmiddels verschrikkelijke
honger gekregen. Maar niet getreurd, nog heel even en dan
zat ik bij oma aan een heerlijke maaltijd. Op dat moment
begon ik me opeens ernstig af te vragen hoe ik mezelf in
vredesnaam ging introduceren.
'Hallo, u kent mij niet, maar ik ken u wel.' 'Verrassing!
Wie ben ik? Nou, ik ben dus uw toekomstige kleindochter.'
Enzovoort, enzovoort.
De rest van de reis pijnigde ik mijn hersens hoe ik dit
probleem op kon lossen. Tegen de tijd dat we er waren, had
ik nog geen bruikbare oplossing bedacht.
De trein kwam langzaam tot stilstand aan het perron. De
detectivemeneer stond op en liet door middel van een vreemd
leren riempje het raam zakken en opende de deur voor me.
Het zag ernaar uit dat in 1967 de deurklink uiterst onhandig
aan de buitenkant van de deur bevestigd was. Ik klom
dankbaar uit het rijtuig en belandde veilig op het perron, dat
hier wel heel laag was.
Er klonk een fluitsignaal en de trein trok op en liet mij
eenzaam achter op een immens leeg betonnen perron.

'Kaartjes alstublieft...'

De kaartjescontroleur stond geleund over de slagboom op mij te wachten.

Ik gaf hem mijn kaartje en ontdekte aan de andere kant van de slagboom dat ik altijd al gelijk heb gehad over de plaats waar oma woonde. Het was zo ongeveer het meest achtergebleven gat in het heelal. Over de komende veertig tot vijftig jaar zou de gestage vloed van vooruitgang volledig aan deze plek voorbijgaan. Het dorp zag er nog net zo uit als de laatste keer dat ik bij oma op bezoek was.

Bedachtzaam liep ik de hoofdstraat door. Wat ging ik in vredesnaam tegen oma zeggen? Wat in de stad nog zo'n geweldig goed idee had geleken, liet nu zijn ware aard zien – een daad van totale krankzinnigheid.

Ik bleef voor het postkantoor stilstaan, op zoek naar inspiratie. Het kleine kurken mededelingenbord hing op zijn oude vertrouwde plek. Op het bord hingen de gebruikelijke berichten met aanbiedingen zoals 'jonge poesjes zoeken goede thuis' en verzoeken in de trant van 'spullen voor vlooienmarkt gezocht' en 'deelnemers voor bloementonenstelling parochie'. Op dat moment viel mijn oog op een ander bericht:

Dringend gezocht
Huishoudelijke hulp
Inwoning mogelijk, uitstekende beloning
Met aanbevelingen
Meer inlichtingen bij mevrouw Meertens

Kijk aan, was dat even mazzel.

Ik vervolgde mijn weg met een lichtere tred. Al snel

passeerde ik de kerk met haar knarsende kerkportaal.

Dezelfde spreeuwen zaten nog steeds druk en luidruchtig om het hardst te kwetteren in de olmen. Of, nou ja, hun over-overovergrootouders dan.

De weg waar oma aan woonde had nog net zoveel kuilen en plassen als ooit en de greppels stonden nog steeds vol met fluitenkruid.

En daar verscheen het huis al, onveranderd op een zekere groene jeugdigheid van de appelbomen die verspreid over het grasveld stonden na. En wacht even – de oude boomstronk was geen stronk meer, maar een hoogbejaarde eik die kreunde in de wind.

Ik liep de oprijlaan op die knarste onder mijn voeten en trok aan het belkoord. En, voor het geval je het je afvraagt, ik had inmiddels een goede strategie uitgedacht over hoe ik oma zou begroeten.

De deur werd geopend en de verrassende gestalte van een veel jongere versie van mijn oma verscheen in de deuropening. Haar lieve, zachte, grijze haar was vervangen door een frisse, bruine haardos met gepermanente krullen. Haar hele gezicht zag eruit alsof ze een uiterst succesvolle facelift had ondergaan. Haar gezicht was roze en mollig en glanzend en een beetje vinnig.

'Kan ik u ergens mee helpen?' vroeg ze.

Een klein ogenblik was ik sprakeloos. Mijn lieve, knuffelige oma met een babyhuidje zo zacht als dons was vervangen door deze strak in een korset geregen vreemde.

'Mevrouw Meer-tens?' dreunde ik monotoon op met een redelijk goede imitatie van een Zweeds accent.

(Waarom Zweeds? Nou, omdat Zweeds het enige accent is dat ik een beetje geloofwaardig over het voetlicht kan brengen. Josephine, mijn zus, en ik hebben ooit een au pair gehad die Olga heette. Olga was érg, érg Zweeds geweest. Ze had grote, ronde, verbaasde ogen en een dieptreurige stem die op en neer ging als een hobbelpaard, waardoor al haar uitspraken als vragen klonken. Tegen de tijd dat ze drie maanden bij ons was, konden we haar allebei perfect imiteren.)

'Ja, inderdaad. Wat kan ik voor u doen?'

Zelfs haar stem klonk anders. In plaats van haar aardige, zachte, krassende stem, klonk ze als een waar manwijf.

'Ik ben hier vanwege de ba-an?'

'Tss', zei oma. 'Je hebt er zeker niet aan gedacht om eerst even te bellen?'

'Ik heb een klein probleem-pje. Alstublieft, kan ik u even spreken?' zei ik, terwijl ik mijn best deed om er huilerig uit te zien.

'Tss', zei oma. 'Nou, ik denk dat je beter maar even binnen kan komen.'

Weet je, het zit zo met oma, ze mag er nu dan wel vinnig uitzien, maar daaronder is ze gewoon echt een softie. Over de jaren heeft ze de meest vreselijke mensen in huis gehaald om voor haar te werken omdat ze elke keer weer in de luren werd gelegd. Ze kan het gewoon niet helpen dat ze iedere keer weer voor een verhaaltje vol pech en ongeluk valt.

Dus luisterde ze naar mijn verschrikkelijke verhaal over de vreselijke familie uit de grote stad waaraan ik ontsnapt was. Hoe deze mensen me op een ijskoude, onverwarmde zolder-kamer vasthielden en me dwongen om non-stop, onafgebro-ken te werken op een dieet van koude pap en kraanwater. En wat er gebeurde op de avond dat ik alleen in huis was met de vader van het gezin...

'Zeg maar niets meer...' zei ze terwijl ze zachtjes op mijn hand klopte en nog een kop thee voor me inschonk. 'Er is geen sprake van dat jij teruggaat naar die mensen. Arm kind! Wat jij hebt meegemaakt. Trouwens, dat doet me er opeens aan denken, ik vind dat ik het je moet vragen. Hoe oud ben je eigenlijk, Helga?'

'Achttien?' Ik bedacht dat als ik de baan wilde ik maar beter een paar jaar aan mijn leeftijd kon toevoegen.

'Arm, arm kind. Als ik dit aan mijn man vertel... dan zal hij...'

'Nee, alstublieft...'

Haar man! Natuurlijk, opa was nog in leven. Ik had een vage herinnering van hem. Een wazig beeld van een gereserveerd, vriendelijk silhouet dat door een nevel van tijd zichtbaar was. Of was het de dikke rook van zijn eeuwige vuurtjes van dode bladeren?

'Ik begrijp het', zei ze, terwijl ze opnieuw zachtjes op mijn hand klopte. 'We hebben het er niet meer over. Beter om het te vergeten.'

Er werd niets meer gezegd. Ik was aangenomen. Naar aanbevelingen werd niet eens gevraagd. Eerlijk gezegd, behalve dat ze met me meevoelde over mijn benarde situatie, was oma behoorlijk wanhopig. Tante Hanna's eenentwintigste verjaardag was binnenkort. En met een echt uiterst onhandige timing was mevrouw Weerbaar, haar trouwe kok en huishoudster, met spoed naar het ziekenhuis vervoerd vanwege een blindedarmontsteking (met complicaties).

'Het is echt veel te laat om het feest af te gelasten. Alle uitnodigingen zijn al geaccepteerd. En de tent en de tafels en stoelen – alles wordt overmorgen bezorgd... We moeten er gewoon maar het beste van maken', praatte ze maar door terwijl ze me het huis liet zien.

'Hanna!' riep ze uit het raam.

'Ik wil je graag voorstellen aan mijn oudste dochter', zei ze over haar schouder tegen mij. Vervolgens mompelde ze in zichzelf: 'Waar hangt ze nu weer uit?'

Hanna! Tante Hanna! Wilde tante Hanna – de katten-verzamelaarster die we al in geen jaren meer gezien hadden en die bijna uit de stamboom verwijderd was.

'Wilt u dat ik haar voor u ga zoeken, mevrouw Meer-tens?'

'O, zou je dat willen doen? Wat aardig. Ik denk dat als je de boomgaard probeert... het is dat pad af, zie je welk ik bedoel, daar...?'

Ze gaf me uitgebreide instructies hoe ik in de tuin moest komen, een tuin die ik waarschijnlijk beter kende dan zijzelf. Josephine en ik hadden bijna al onze zomers doorgebracht in dit huis. Lange, natte, saaie zomers vol voortdurend gekibbel en een hoop regen.

Ik liep langs de schuur die nu wonderbaarlijk overeind stond en onbeschadigd was. Het rook zelfs sterk naar verse creosootolie. Verder langs de cederboom met de dikke laaghangende tak die over een jaar of twintig voorzien zou worden van een schommel. Door het tuinhek dat nog op twee in plaats van één scharnier hing, omdat Josephine en ik er nog niet met ons volle gewicht op gehangen hadden. En de boomgaard in. Het gras tussen de appelbomen was lang en vochtig. Ik liep tussen de bomen door op zoek naar Hanna. Ik had deze mysterieuze tante nog nooit ontmoet. Mama sprak altijd in de verleden tijd over haar en noemde haar 'arme Hanna'. De laatste keer dat er wat van haar vernomen werd, was ze bezig met de voorbereidingen van een boek over haar favoriete onderwerp: *Katwijk tot Kathmandu – de omzwer-vingen van een kattenliefhebber.*

Hoe dan ook, op het moment was ze niet heel erg druk in de weer. Vanachter een knoestige perenboom kringelde een sliertje grijze rook omhoog.

Daar vond ik haar, uitgestrekt op een lange, dikke schapen-wollen herdersjas, terwijl ze door de takken naar de lucht staarde.

'Hoi', zei ze met half dichtgeknepen ogen. 'Wie ben jij?'

'Ik ben de nieuwe au pair van je moeder, juffrouw Meer-tens?' zei ik, terwijl ik probeerde authentiek over te komen.

'Arme jij', zei ze. 'Zeg maar Hanna, hoor. Kom je uit het buitenland?'

'Ik kom uit Zwe-den?'

'Te gek', zei ze terwijl ze leunend op een elleboog omhoog-kwam.

Ze bood me haar joint aan. 'Wil je een trekje?'

Ik schudde mijn hoofd. 'Uw moe-der heeft me gestuurd om u te vinden?'

Hanna liet zich weer op haar jas zakken. 'Zeg haar maar dat ik er zo aankom, oké?'

Missie niet geslaagd. Ik liep terug naar het huis.

Oma stond me op te wachten met haar armen vol bedden-goed.

'Ze zegt dat ze er zo aan-komt?'

Oma schudde haar hoofd en mompelde afkeurend.

'Kom maar mee dan. We zullen je eerst even installeren en dan moet ik naar het station om mijn andere dochter, Caroline, op te halen. Ik denk dat je haar wel aardig zult vinden. Ik wed dat jullie een heleboel gemeen hebben.'

Caroline! Mama! Nou, dat kon ik niet ontkennen. Om te beginnen had ik de helft van haar genen.

Mama in 1967. Dat betekende dat ze... Wacht eens even...

Dan was ze zestien! Precies even oud als ik. Dit kon nog weleens heel *interessant* worden.

10

Oma nam me mee naar het station, zodat ik Caroline kon ontmoeten. Ze zei dat ze me de winkels in het dorp wilde wijzen.

'En daar zit de bakker. Let er goed op dat als je door de jongen geholpen wordt, je het wisselgeld telt. En daar zit de slager. Let goed op als hij de koteletjes snijdt, want anders heb je alleen maar vet...'

...en daar heb je oom agent, voegde ik er in gedachten aan toe, terwijl de plaatselijke politieman op zijn krakende fiets voorbijkwam. Het voelde steeds meer alsof ik in een vreemde aflevering van *Pieter Post* terechtgekomen was.

We arriveerden bij het station precies op het moment dat de trein binnenliep.

'Ik hoop echt dat Caroline de trein dit keer niet gemist heeft', mompelde oma terwijl we bij de slagboom stonden te wachten.

Het was misschien een beetje eigenaardig, maar ik werd opeens behoorlijk zenuwachtig. Alsof mama zich niet voor de gek zou laten houden en dwars door me heen zou kijken. Zoals moeders altijd doorhebben waar je mee bezig bent. Om gek van te worden.

Een soort van ouderlijke helderziendheid of zoiets.

Angstvallig speurde ik het perron af. Terwijl de menigte van kantoorpakken en nette overjassen uitdunde, kwam er een vreemde verschijning tevoorschijn. Een figuur in een wit minirokje van pvc en een zwart-wit jasje met rits – ook van pvc – witte panty's, zwarte lakschoenen, donkere zonnebril, witte lippen en, o ongeloof, een tweekleurige gebreide pet scheef op het hoofd liep onze kant op. Het kon gewoon niet waar zijn!

Hier was ik niet op voorbereid. Je verwacht dat moeders normale kleding dragen, of in ieder geval onopvallende kleding. Ik bedoel, ik was er eigenlijk altijd van uitgegaan dat mijn moeder op middelbare leeftijd was toen ze geboren werd. Dat de zin van haar leven haar hoogtepunt bereikte in zich zorgen maken over mij en mijn leven. Het kan nooit de bedoeling geweest zijn dat moeders zich opdoften en er zo bij liepen. Ik bedoel, ze zag er min of meer uit alsof ze zelf een leven had.

Maar het was Caroline. Ze kuste oma op haar wang.

'Hallo mama', zei ze.

'Dag schat. Heb je een goede reis gehad? Je ziet er een beetje pips uit. O, voor ik het vergeet, dit is Helga.'

'Hal-lo?' zei ik.

'Ze is Zweeds. En door de hemel gestuurd. Ze is onze nieuwe au pair, nietwaar engel?'

'Tjonge, nou, dat is handig', zei Caroline. Ze bekeek me met een onderzoekende blik terwijl ze ondertussen haar draag- tassen aan mij overhevelde. (Het was onmiskenbaar mama's gezicht. Een jongere uitvoering uiteraard – zonder wallen en grijzend haar. Jezus, ik hoop maar dat de tijd wat milder is voor mijn gezicht en wat minder ravage aanricht.)

'Is ze niet een beetje jong?' hoorde ik haar tegen oma fluisteren terwijl we terugliepen naar de auto. Ik volgde hen met een arm vol tassen en ving maar gedeeltes van oma's antwoord op:

'...kan nergens heen... arm kind... vreselijke tijd... vertel het je later... ik kon haar gewoon niet wegsturen.'

Caroline keek naar me. Ze had een 'o nee, niet weer een van mama's projectjes'-uitdrukking op haar gezicht. Oma hield een waarschuwende vinger tegen haar lippen.

Ik ging met de tassen achterin zitten.

Caroline zette haar zonnebril af en onthulde een paar dikke, valse wimpers. Een ervan liet een beetje los en gaf haar een dronken, scheve blik.

'Waar slaapt ze?' vroeg ze, alsof ik een hond was of zo.

'We zullen de bergruimte op moeten ruimen', zei oma.

'Maar daar staan al mijn spullen.'

'Tja, we zullen gewoon een beetje moeten reorganiseren, dunkt me.'

Caroline gaf me een vijandige blik.

'Hoe lang blijft ze?' siste ze.

'Misschien moeten we het hier later over hebben, liefje. Heb je iets kunnen vinden om aan te trekken op het feest?'

'Nou, dat kun je wel zeggen, ja.'

'Ik hoop dat je iets *fatsoenlijks* hebt gekocht?'

Caroline liet een gelukzalige blik over de tassen achterin gaan. Er zat er een van Yves Saint Laurent tussen. En een tas met een soort schietschijf erop gedrukt. De derde tas had een foto van een vrouw die duidelijk high was en psychedelisch gekleurde lokken in haar haar had.

Uit een van de tassen plukte ze een paarse veren boa. 'Kijk mam, vind je deze niet schitterend?'

Oma was niet erg onder de indruk. 'Die droegen we al in de jaren dertig', zei ze.

Eerlijk gezegd was oma in het geheel niet onder de indruk van de meeste aankopen. Caroline liet haar de 'jurk' zien die ze gekocht had. Het was een diagonaal gesneden lila stukje nylon dat aan een soort van haltertop was vastgemaakt.

'Het lijkt me eerder ondergoed', zei oma, terwijl ze de zoom inspecteerde. Op een aantal plaatsen rafelde de zoom al. 'Dit kun je zaterdag echt niet aan.'

'Maar dit is de mode. Iedereen draagt dit soort te gekke kleding...' stribbelde Caroline tegen.

'Waar? Wie? Ik ben dit nog niet op straat tegengekomen', zei oma.

'O, maar mevrouw Meer-tens, ik heb het wel gezien, hoor? In de stad', zei ik behulpzaam.

Caroline gaf me een dankbare blik.

'Nou, ik weet niet of dit acceptabel is. Ik zal het er met je vader over hebben.'

Het gesprek werd uitgesteld tot na het avondeten.

Avondeten! Je herinnert je misschien nog wel dat ik geen lunch had gehad.

'Gewoon een lichte maaltijd', zei oma terwijl ze me aan het werk zette en me aardappels liet schillen.

In het volgende uur werd mij geleerd hoe ik iets moest maken dat 'hete bliksem' heette. Een gerecht dat bijna net zo vies is als het klinkt.

Volgens de moderne voedingsleer zou dit ongezonde gerecht een gezondheidswaarschuwing moeten krijgen. Hoe dan ook, het is een vreselijke combinatie van spekjes, appels en aardappels en het duurt ontzettend lang voor het klaar is.

De maaltijd van gestampte aardappel en appel met een

calorierijke vette jus en dito spekjes werd om klokslag zes
uur geserveerd.

Ik kwam uit de keuken. Caroline was bezig om de tafel te
dekken en smeet messen en vorken ongeïnteresseerd op
tafel. Ik ving het laatste stukje van haar gesprek met oma op.

'...begrijp niet waarom ze zou verwachten dat ze met ons
mee-eet.'

'Sst', waarschuwde oma terwijl ik dichterbij kwam.

De tafel was gedekt voor vijf personen. Oma had moderne
en liberale opvattingen die ze uit een tijdschrift haalde. En
blijkbaar was een van die nieuwe moderne ideeën dat een au
pair behandeld diende te worden als een lid van het gezin.
Het werd dan ook van mij verwacht dat ik net zo leefde als
het gezin deed, dat ik deelnam aan gesprekken en dat ik
samen met hen at. Lekker belangrijk.

'Echt, mevrouw Meer-tens? Ik eet net zo lief een beetje
yog-hurt in de keu-ken?'

'Een wat liefje?'

'Yog-hurt?'

'Wat is dat liefje?'

Hanna lichtte haar in.

'Het wordt van zure melk gemaakt. Iedereen in de stad eet
het. Het schijnt heel gezond voor je te zijn.'

'Meen je dat nou?' zei oma en rilde. 'Ik ben bang dat we dat
soort moderne dingen hier niet hebben, Helga. We kunnen
wellicht morgen kwark eten. Met gekleurde hageltjes erop.'

'En trouwens,' voegde Hanna toe, 'als jullie dodedierenvlees
eten vanavond, dan heb ik liever brood met kaas, dankjewel.
Boven graag.'

'Ze is zomaar opeens vegetariër geworden', vertrouwde oma
me toe, alsof het een of andere ziekte was.

Eerlijk gezegd wou ik dat ik op dat idee gekomen was.

Die avond had ik mijn eerste ervaring met de keuken van de jaren zestig. Ik kwam al snel tot de conclusie dat 1967 een absoluut culinair dieptepunt was. Het voornaamste ingrediënt van de meeste gerechten leek overgebleven kliekjes vlees te zijn. Er waren met ragout gevulde flensjes waaraan extra kraakbeen was toegevoegd, gehaktballen die een of andere korst hadden en rundvleespasteitjes met een korst van kliekjes aardappelpuree.

Hierna kwam de 'pudding'. Zeer stevige kost die meteen omgezet wordt in vet en het op je dijen gemunt heeft. Vol vet, suiker, siroop en margarine. Alleen van de namen van de verschillende puddingen werd je al dik: duikelaartje of niervetpudding. De meest afschuwelijke pudding was een wit, week, gekookt exemplaar met rozijnen die boerenjongenspudding heette.

De kolonel – opa – vond ze allemaal even lekker. Zijn snor trilde van opwinding bij het zien van degelijk, ouderwets voedsel. Hij had dan ook helemaal geen geduld met Caroline, die lusteloos met een vork in haar eten zat te prikken en stukjes vet en kraakbeen onder een koolblad probeerde te verstoppen.

'Je volgt waarschijnlijk een of ander verduiveld dieet', blafte hij haar toe. 'Het lezen van al die vrouwenbladen geeft vrouwen de verkeerde ideeën. Wil je eruitzien als een hark? Dat verdomde Twiggy-mens. Zo vind je nooit een vent.'

'Ja, papa', zei Caroline terwijl ze haar bord bekeek.

'Het is allemaal een gril, weet je', zei hij. 'Een rage die weer overwaait, leven op armzalig knäckebröd en sla.'

(Hij had het, uiteraard, hélemaal bij het verkeerde eind.)

'Neem nog wat pudding, Caroline. Ben je je eetlust verloren

of hoe zit dat? Ben je verliefd of zo?'

Ik hield wijselijk mijn mond terwijl ik de tafel afruimde.

Oma trok een wenkbrauw op. '"Hij" komt vanavond langs.'

Opa maakte een knorrig geluid in zijn snor en smeet zijn servet op tafel.

'Hmpf!' zei hij. 'Zorg maar dat die jongeman het gazon voor me maait. Maakt hij zich ook een keer nuttig. Al dat aanstellerige gedoe met die sportwagens. Laat ze in dienst gaan en zichzelf verdienstelijk maken – daar worden ze tenminste mannen van.'

'Alsjeblieft, pap, alsjeblieft', wierp Caroline tegen.

Op dat moment hoorde ik in de verte een sportwagen aankomen. De wagen scheurde met piepende banden door de bocht en kwam met een snerpend geluid tot stilstand op de oprijlaan.

Ik snelde met de borden naar de keuken. Vanaf daar had ik goed zicht op de oprijlaan. Het was een rode cabriolet en het dak was naar beneden. Terwijl ik de vaat in de gootsteen opstapelde, zag ik een lange, slungelige jongen die met een nonchalante sprong uit de auto klom.

'Hij' was gekleed in een zwarte trui waarop nadrukkelijk een 'ban de bom'-button prijkte. Verder droeg hij een vreselijke broek met wijd uitlopende pijpen en laarzen van aan elkaar genaaide lapjes met een hak. Het duurde even voordat ik in de gaten had dat onder dat gepommadeerde haar en die plukjes aan de zijkant die waarschijnlijk voor bakkebaarden door moesten gaan mijn *vader* verborgen zat.

Echt zielig. Ik realiseerde me dat hij jammerlijk hard zijn best deed om er trendy uit te zien. Hij was het jarenzestig-equivalent van die jongens die in de eenentwintigste eeuw hun baard lieten staan of te koop liepen met dreadlocks in de misplaatste overtuiging dat dit de vrouwelijke 'aandacht' deed ontbranden.

Maar wacht even, misschien was dat hier wel gelukt.

Caroline was naar buiten gekomen om hem te begroeten.

'Hoi, Herman', zuchtte ze.

'Hé, snoes. Zeg, ik maakte bijna een ongelooflijke crash terwijl ik de bocht omkwam.'

Snoes! Ik geloofde mijn oren niet. En Caroline stond koket met een aanstellerig glimlachje naar hem te lonken alsof hij James Dean was.

'Wat voor boek heb je daar?'

'*Zen en de kunst van het motoronderhoud*.'

'Klinkt ontzettend intelligent.'

'Breek jij daar je mooie hoofdje maar niet over.'

Ik kon dit echt allemaal niet goed verstaan hebben. Waarom sloeg ze hem niet met haar handtas of zoiets? Hij gedroeg zich echt *ontzettend* neerbuigend. En als je dan bedenkt hoe ze hem tegenwoordig liep te commanderen!

'Laten we ergens naartoe rijden', zei Caroline. 'Als we hier blijven hangen, dan strikt papa je weer om een of ander vreselijk klusje in de tuin voor hem te doen.'

Dus klommen ze in de auto en reden ze weg.

Na het avondeten en nadat ik in mijn eentje de afwas had gedaan (dit was het primitieve preafwasmachinetijdperk) ging ik naar de woonkamer en plofte neer op de gebloemde bank. Denk je eens in hoe ik me voelde. Mijn moeder fladderde ergens rond – in het geheel geen rekening houdend met andermans (lees: mijn) gevoelens – ging mee rijden met een man in een open cabriolet en zag eruit alsof ze er verdomme een seksleven op na hield. En hier zat ik, een eenzame verdwaalde vrouw, radeloos verliefd, maar verlaten. Het was gewoon zo *schrijnend*.

En dan nog iets – dit waren verdomme de jaren zestig. Waar was al die seks, drugs en rock-'n-roll? Zo ver ik het kon beoordelen was al dat 'swingende' gedoe zwaar overschat. Tot nog toe had ik alleen maar ongelooflijk verstikkende *tuttigheid* gezien.

Er was zelfs niemand in de buurt voor een fatsoenlijk gesprek. Blijkbaar waren ze allemaal de tuin in verdwenen. Jezus, ik wou dat ik Franz op kon bellen om eens lekker lang bij te kletsen en te roddelen. Normaal kreeg ik rond dit tijdstip een verhandeling van Franz met oude, tweedehandse seksuele hoogtepunten. Ik smachtte zelfs naar het vertrouwde geluid van Henny's stem, met al haar niet ter zake doende rationele meningen, die mij vertelde om me te vermannen.

Ik vroeg me af waar Hanna was gebleven. Ik hoorde het kreunen en steunen van de grasmaaier achter het huis en het knippen van de snoeischaar in de rozenstruiken.

Ik keek de kamer rond voor inspiratie. Een heel kleine, onvolgroeide televisie met een rond, bol beeldscherm stond op een tafeltje in de hoek. Nou ja, het was beter dan niets. Ik zette de tv aan.

Er was zo te zien iets misgegaan met de kleur en ik kon ook nergens de afstandsbediening vinden. Maar goed, er zat een knop op de voorkant, dus morrelde ik daar maar wat aan. Tussen uitbarstingen van statisch geknetter deden een aantal programma's dappere pogingen om mij te bereiken.

Oma tuurde door het raam.

'Wat ben je aan het doen, Helga?'

'Vindt u het goed als ik televisie kijk, mevrouw Meer-tens?

Ik ben klaar met afwassen?'

'Natuurlijk, liefje. Maar morrel niet met de afstemknop, anders blaast dat ding zichzelf nog op.'

'Ik probeerde alleen de kleur maar goed te krijgen, mevrouw Meer-tens?'

'De kleur?' zei ze op een verbaasde toon. 'O, je bedoelt het *contrast*?'

Op dat moment drong het tot me door dat het platteland nog in een prekleurentelevietijdperk verkeerde. Jemig, de jaren zestig waren op technologisch gebied ontzettend primitief. Stel je voor dat je hier elke avond tv zat te kijken en al je favoriete sterren in grijstinten voorbij zag komen.

Deze ervaring gaf mij weer een heel nieuwe kijk op de geschiedenis van radio en televisie. Zelfs in de 'goeie ouwe tijd' was het mogelijk om je twee uur lang helemaal suf te vervelen. Het meest opwindende moment tot negen uur was een onderbreking waarin je twee goudvissen zag rondzwemmen in een vissenkom. Ik vermaakte mezelf door erachter te komen of de vissen hun bewegingen synchroniseerden met de muziek, of dat hun timing puur toeval was.

Om negen uur begon het journaal. De nieuwslezer las voor met een typisch staccatoritme en perfect klinkende klinkers, die tegelijkertijd met haarpommade uit de mode raakten. Een van de onderwerpen was een ademloze verering van Hare Majesteit de Koningin (in de jaren zestig overigens nog prinses), die op staatsbezoek was op een plek die sindsdien compleet van de aardbol verdwenen is. En wacht even, ik zou zweren dat ik haar onlangs in diezelfde jurk heb gezien. Nou ja, dat krijg je als je geen gevoel voor mode hebt, je kleren zijn dan simpelweg tijdloos.

Op dat moment ging de telefoon.

Ik sleepte mezelf van de bank af.

'Hal-lo, dit is het huis van de familie Meer-tens? Waarmee kan ik u van dienst zij-ijn?'

'Hé daar!'

Ik kon mijn oren niet geloven! Het was Los!

'Hoe heb je me in hemelsnaam gevonden?'

'Geen probleem. ZP 94. Kon niet missen.'

'Wat?'

Nu hoorde ik een andere stem en een duivelse lach.

'Breek jij daar maar je mooie hoofdje niet over.'

'Was dat Phil? Wat gebeurt daar in vredesnaam?'

'Ik ben he-et.' Het was inderdaad Phils stem. 'Hallo daar, duifje.' Ze waren aan het klieren, zoals jongens doen als ze onder elkaar zijn. Ik kon ze wel vermoorden!

'Geef Los weer aan de lijn', eiste ik. 'Alsjeblieft!'

'Oké. Daar ben ik weer', zei Los. 'En, hoe komt het dat jij geüpload bent? Ik had niet gedacht dat jij een surfer zou zijn?'

Ik was niet van plan hem de voldoening te geven hem te laten weten dat ik hem gevolgd was. Dus probeerde ik hem wijs te maken dat ik puur voor de lol veertig jaar terug in de tijd naar deze uithoek was gereisd – blut en dakloos.

'Het komt er eigenlijk op neer dat ik onderzoek aan het doen ben. Een paar takken van de familiestamboom aan het opzoeken, als je het echt wilt weten. En wat ben jij hier aan het doen?'

'O, gewoon, wat rondhangen, weet je wel', hij klonk een beetje van zijn stuk gebracht door mijn vraag. 'Dat is nou surfen – de sensatie van het geheel. Je weet nooit waar je uitkomt.'

Opeens had ik een triomfantelijke gedachte – ik bedoel, nu ik erover nadacht, wie was nu precies wie aan het volgen?

'Maar het is wel toevallig, vind je ook niet. Dat je híér terecht bent gekomen?'

'Hé. Waarom niet? Het is niet zo'n slechte tijd. Je weet wel, de jaren zestig. Swingen in de stad en zo – "te gek", om in de tijdsgeest te blijven. Je zult je wel amuseren.'

'Ik ben niet in de stad', wees ik hem bits terecht. 'Ik ben bij mijn oma gestrand. En het is hier bepaald niet swingend te noemen. Zelfs van licht deinend is geen sprake. Het is hier verlammend, ondraaglijk saai.'

'Wil je dat we langskomen en een beetje leven in de brouwerij brengen?'

'Hoe bedoel je?'

'Er is daar morgen toch een feestje, nietwaar? Een super-de-luxe party?'

'Hoe weet jij dat?'

'zp 119 2 127.' Dat was Phil weer. En ik hoorde ze opnieuw gesmoord lachen. Ik hoorde hoe TeXas het uitgierde. Dus TeXas was er ook.

Dat was het moment waarop ik mijn zelfbeheersing verloor. 'Jezus! Kunnen jullie misschien kappen met dat suffe techno-jargon. Het is echt niet grappig, hoor!'

Ik hoorde hoe Los de andere twee tot stilte maande. Vervolgens kwam zijn warme, geruststellende stem weer aan de lijn. 'Hé… rustig maar. Kalm aan, Justine. Het is oké. Ik kom naar je toe om je op te halen, goed?'

'Echt waar? Wanneer?'

'Laten we het erop houden dat we elkaar IRL ontmoeten. Ik bedoel, in de echte wereld. Héél snel.'

'Waar, wanneer, hoe? Los, luister. Je kunt me hier niet gewoon achterlaten!'

Er klonk een geruis en de verbinding werd verbroken.

'Niet ophangen. Dat kun je niet maken! Vertel me waar je bent!'

Maar het had geen zin, de lijn was dood.

'Wie was dat?' vroeg oma. Ze stond in de hal met een rubberlaars nog aan en de andere al uit.

'Verkeerd verbonden, mevrouw Meer-tens.'

Jezus, ik had het kunnen weten. TeXas was bij hem. Wat waren ze van plan? Terwijl ik weer voor de tv ging zitten, had ik een paar heel verontrustende gedachten over Los. Wat voelde hij nou echt voor mij? Voelde hij überhaupt wel iets? Misschien leed hij wel aan wat Franz, Henny en ik het 'bibliotheeksyndroom' noemen? Waarom zou je een boek kopen als je gewoon elk boek waar je zin in hebt kunt lenen? Misschien ging hij toch met TeXas. Ik zakte ongelukkig en verward onderuit op de bank.

In schril – en harteloos – contrast met mijn humeur, was de nieuwslezer in mijn afwezigheid opeens nogal vrolijk en opgewekt geworden. Er waren beelden van de Beatles die aankwamen op het vliegveld en opgewacht werden door een hysterische mensenmassa. Hordes tienermeisjes stonden te sidderen, te schreeuwen en op hun zakdoeken te bijten. Dit leek er meer op.

Rond een uur of tien ging ik naar bed, helemaal uitgeput. Er was een smal, bobbelig logeerbed voor me neergezet in de bergruimte. Ik lag daar nog uren lang wakker, me afvragend waar ik mezelf in vredesnaam nu weer ingestort had. Vanuit Hanna's kamer klonk muziek. Iemand tokkelde continu op een gitaar en begeleidde een boze schreeuw van protest.

Los had gezegd dat hij snel hier zou zijn. Maar wat was snel? Morgen? Overmorgen? Misschien vanavond al?

Tegen een uur of een hoorde ik het geluid van de MG die
zachtjes de oprijlaan opreed. Er was een heel, heel, heel erg
lange stilte. Gevolgd door knerpende voetstappen op het
grind. Caroline was thuis en ze was niet alleen. Er volgde
weer een lange stilte. Vanuit de bosjes klonk nu een schar-
relend geluid. En vervolgens Carolines stem die verwoed
fluisterde: 'Nee, Herman, niet doen!' (gegiechel) 'Sssst! We
maken nog iemand wakker.'

Een nieuwe, langere stilte volgde met opnieuw scharrelende
geluiden.

Wat gebeurde daar buiten! Dit was pure porno. Eerlijk waar,
dit waren mijn ouders. Het was *weerzinwekkend*! Ik overwoog
om uit het raam te leunen en ze te vertellen dat ze zich
moesten gedragen.

Op dat moment hoorde ik de voordeur zachtjes in het slot
vallen en kwam Caroline muisstil de trap op geslopen. Papa's
voetstappen knerpten over het grind terwijl hij terugliep naar
zijn auto.

Nou ja! dacht ik. Daarna moet ik in slaap gevallen zijn.

11

Je hebt geen idee wat voor *ongemakken* het leven in een pretechnologische wereld met zich meebrengt.

Ik kwam al snel tot een conclusie. Het waren niet de feministen die de moderne vrouw hadden bevrijd, maar de ingenieurs. De apparaten in oma's huis kwamen zonder uitzondering uit het stenen tijdperk. Oma liet me kennismaken met een bakbeest dat ze vol trots de wasmachine noemde. Noem je dat een wasmachine? Na het wassen moest alles uit de ene trommel gehaald worden en in de andere gestouwd. In deze trommel werd de was gemangeld en vervolgens moest alles weer uit deze trommel in een wasmand worden overgeladen en buiten opgehangen. Alles bij elkaar was je uren bezig. Hoe vrouwen uit de jaren zestig tijd vonden om zichzelf te bevrijden gaat mijn pet te boven. Je zou denken dat ze het daar te verdraaid druk voor hadden.

Bedden opmaken in deze tijd van voor het dekbed was een van de andere uitdagingen. Ik werd ingewijd in de fijne kneepjes van het vak volgens de ziekenhuismethode. Je moest de frisse, gesteven lakens in scherpe driehoeken vouwen voor je ze onder het matras sloeg. Oma bleef over mijn schouder toekijken tot ik het goed deed.

Mijn volgende taak was 'het opruimen en stoffen van Carolines kamer'.

Je gelooft het misschien niet, maar het kwam er dus op neer dat ik alle dekseltjes en dopjes van haar make-up terug op de potjes deed en haar spijkerbroeken ophing.

Terwijl ik al een heel eind op weg was met deze vernederende rolwisseling kwam Caroline steels binnenlopen.

Ze had een limoengroene heupbroek met wijd uitlopende pijpen en een nauwsluitende oranje gebreide jumper aan. Haar haar zat in twee staartjes aan weerskanten van haar hoofd. Staartjes! Ze zat op een gebloemd zitje in de erker bij het raam en keek een tijdje toe. Ik voelde hoe ik overal jeuk begon te krijgen van verontwaardiging. Zij was hier degene die tijd over had. Waarom kon ze in hemelsnaam niet haar eigen kamer opruimen?

Op dat moment zei ze een beetje verlegen: 'Helga, mag ik je misschien iets vragen?'

'Ja, Na-tuurlijk?'

Ze stond op, liep naar de deur en deed die dicht. Toen ging ze weer zitten, deze keer op het uiteinde van haar bed. Ze leunde voorover en zei ernstig: 'Is het waar wat ze over Zweedse meisjes zeggen? Dat jullie, zeg maar, *geëmancipeerder* zijn...' ze stokte.

'Hoe be-doel je?'

'Nou ja, je weet wel, al dat eh... je weet wel, voordat je gaat trouwen of misschien zelfs voor je verloofd bent...?'

'Bedoel je seks?'

Ze staarde naar de vloer. 'Ja.'

'O ja-a? Dat is waar. Wij geloven in, hoe zeg je dat – vrije liefde? In mijn la-and?'

'Nou, wat ik dus wilde vragen is... Ik bedoel gisteravond

hebben Herman en ik bijna eh... O jemig... dit is zo gênant...'
'Ik hoop dat jullie wel voorzichtig doe-oen?' zei ik.
'Dat is nu net het punt', zei Caroline tegen me met een rood
hoofd en vochtige ogen. 'Weet je, wat ik bedoel. Ik weet niet
zo goed wat dat betekent... eh... *voorzichtig doen.*'
Ik geloofde mijn oren niet. Ik bedoel, in de jaren zestig
hadden ze toch zeker wel seksuele voorlichting, of niet
dan? En zo niet, konden ze dan niet gewoon alles uit tiener-
tijdschriften halen, zoals wij doen?
'Vertellen ze je dat niet op scho-ol?'
Caroline schudde haar hoofd. 'Ik zit op een nonnenschool.
De Eerwaarde Moeder zegt dat de beste manier om niet
zwanger te worden onthouding is.'
'Oké? Maar je moe-der dan?'
'O nee. Ik kan echt niet met mijn moeder over dat soort
dingen praten.'
Eerlijk gezegd, nu ik erover nadacht, was oma inderdaad
niet iemand die intiemere lichaamsdelen dan bijvoorbeeld
'dijbeen' in haar mond zou nemen. Zelfs 'dijbeen' was
waarschijnlijk al te gewaagd voor haar.
'Maar hoe zit het dan met je vriend-je, Herman?'
'Ik geloof niet dat hij ook maar het flauwste idee heeft.'
Papa kennende had ze waarschijnlijk gelijk.
'Dus ik dacht', ging Caroline hevig blozend verder. 'Aangezien
jij Zweedse bent en zo. Ben jij de ideale persoon om aan te
vragen...'
Op dat moment besefte ik dat ik me in een behoorlijk unieke
positie bevond. Ik bedoel, hoeveel mensen, denk je, hebben
hun eigen moeder seksuele voorlichting moeten geven?
O mijn god. Hoe ging ik dit aanpakken? Ik probeerde me
te herinneren wat onze biologielerares in de eerste klas,

mevrouw Viool, hierover had verteld. Mevrouw Viool stond trouwens beter bekend onder haar bijnaam 'mevrouw Riool', dankzij haar voorliefde om bruine kledingstukken te combineren. Ze had ons met een wortel als rekwisiet gedemonstreerd wat de beste manier was om een condoom om te doen. (Voor haar zo'n beetje het dichtst bij de echte daad als ze ooit zou komen, gaf Franz later als commentaar.) We hadden ons allemaal dood geschaamd, maar Henny was te hulp geschoten door allerlei intelligente, wetenschappelijke vragen te stellen over de overbevolking in de derde wereld en betrouwbaarheid van condooms.

Maar goed, ik begon vol vuur te vertellen wat ik me nog kon herinneren van Riools afstandelijke en wetenschappelijk advies over wat zij 'gezinsplanning' noemde. Wat ik altijd een rare term heb gevonden, want volgens mij gaat het over precies het tegenovergestelde.

Caroline luisterde met grote ogen.

'Maar waar koop je eh... eh?' Ze durfde het woord niet uit te spreken.

'Con-dooms? Bij de dro-gisterij, natuurlijk?'

'Nou, dat gaat dan niet gebeuren, dus', zei Caroline. Meneer Vreemans kent me zo'n beetje sinds mijn geboorte. Hij vertelt het vast en zeker aan mama.'

Ze staarde een tijdje uit het raam, in haar handen verwrong ze haar zakdoek. Toen draaide ze zich naar mij om.

'Maar jou kent hij niet... Helga.'

Dus zo kwam het dat ik in de drogisterij van meneer Vreemans stond. Voor een uitstalkast met haarborstels die er erg agressief uitzagen, stond ik moed te verzamelen.

De condooms lagen hier nergens in de schappen zoals

ik gewend was. Niet gewoon voor het grijpen, zodat je ze nonchalant in je mandje kon gooien alsof je een pakje van je favoriete kauwgum kocht. Ik realiseerde me met een wee gevoel dat ze waarschijnlijk achter de toonbank lagen.

Meneer Vreemans keek me verwachtingsvol aan.

Ik probeerde tijd te winnen.

'Hebt u misschien keelpas-tilles?' vroeg ik.

Hij had verschillende soorten en ik hoopte dat ik een soort verstandhouding met hem opbouwde terwijl we ze een voor een afgingen.

'Verder nog iets, juffrouw?'

Er viel een stilte die een eeuwigheid leek te duren.

'Verkoopt u ook con-dooms?' flapte ik eruit.

Hij keek me aan alsof ik net om een illegaal middel had gevraagd. Ik was blij dat ik in ieder geval zo slim was geweest mijn ring om te draaien zodat die op een trouwring leek. Ik legde mijn hand waar de ring aanzat wat meer in het zicht. Hij leunde over de toonbank heen en vroeg luid fluisterend: 'Welke zou u gehad willen hebben, mevrouw eh...?'

Dit had ik niet verwacht.

'Nou, kijk, ze zijn niet voor mij...' begon ik en realiseerde me vervolgens hoe idioot dit klonk. 'Ik bedoel... maakt niet uit. De gewone, weet u wel?'

Hij gaf me opnieuw een achterdochtige blik en schoof een klein pakje in een wit zakje dat hij mij vervolgens overhandigde. Ik voelde me net een crimineel toen ik de drogisterij verliet met het pakje veilig weggestopt in mijn zak. Jezus – *wat je al niet over moet hebben voor je ouders!*

Eenmaal terug bij oma zag ik dat de hele tuin in een razend-snel tempo getransformeerd werd in iets wat op een circusterrein leek. Er lagen kilometers touw en stapels enorme tentharingen op de oprijlaan. Op een nette grote berg in het midden van de tuin lag genoeg gestreept tentdoek om een paar serieuze overkappingen te realiseren.

Enorme kerels met ontbloot bovenlichaam waren hard aan het werk en sloegen haringen in het gazon. Het tafereel had wel iets weg van een oorlogsgebied. Opa was helemaal in zijn element. Hij beende rond en spoorde de mannen aan. Hij waarschuwde ze op een appelboom te letten en om een ondergrondse pijp te vermijden en liep in het algemeen iedereen voor de voeten.

'Wat een spektakel, hè?' riep hij toen hij mij in het oog kreeg. Ik stemde in. Oma verscheen in het keukenraam en wenkte me.

'O, Helga, waar heb jij gezeten? Iedereen wil thee en de stoelen zijn gearriveerd en ik kan deze glazen nergens kwijt – ik heb geen idee waar de meisjes naartoe zijn. Wat we tussen de middag moeten eten vandaag weet ik echt niet – wat een toestand!'

Ze werd omringd door dozen vol glazen en flessen en achter haar in de gang versperden stapels kriskras geplaatste stoelen de doorgang, waardoor ze in de keuken gevangenzat.

'Maakt u zich geen zorgen, mevrouw Meer-tens? Ik ben hier om u te hel-pen?'

Zó waar.

Ik ga liever niet in al te veel detail op deze dag in. Het lijkt me voldoende om je te vertellen dat mijn handen aan het eind van de dag helemaal rood waren van het glazen wassen. Mijn rug deed zeer van het gesjouw met dozen vol flessen. Ik had brandwonden op mijn armen van het strijken van tafelkleden en blauwe plekken op mijn scheenbenen van met het steekwagentje stoelen met puntige poten te verplaatsen naar de tent. Halverwege de ochtend was op het grasveld de tent majestueus verrezen als een ballon die met hete lucht gevuld wordt. Onder veel gezwoeg, gezucht, gekreun en gesteun, dat wel. Maar uiteindelijk had er gejuich geklonken. Nu stond de tent in volle groengestreepte glorie zachtjes te deinen in de wind.

Het enige lichtpuntje van de dag was een reddingstrip naar de supermarkt. Hanna en ik reden naar het dorp om lunch voor iedereen te halen.

Ik had mijn uiterste best gedaan om mee te mogen op dit uitje. Ik was van plan geweest om een paar fatsoenlijke boodschappen aan de kar toe te voegen – zoals chocolademousse, kwark en cornflakes. Maar toen we in het dorp aankwamen, zag ik nergens de geruststellende schuifdeuren van de supermarkt met de winkelwagentjes voor de deur.

'Ik geloof dat het daar ergens is', zei Hanna, terwijl ze vaag in de richting wuifde van een gebouwtje dat griezelig veel weg had van een plattelandskruidenier.

En ja hoor. In grote gouden letters stond het woord *supermarkt* op de winkelruit. Maar binnen was het een complete horrorshow. Niks geen witte glimmende vloeren en gangpaden met goed gevulde schappen. Geen koelingen met glanzende verpakkingen kant-en-klaarvoedsel dat je zo in de magnetron kon gooien – als magnetrons al bestaan hadden, natuurlijk. Alleen maar koude, witte, uitgestrekte, marmeren toonbanken met bordjes die toonden welke producten verkrijgbaar waren: kaas: jong, belegen of oud – spek: katenspek of ontbijtspek – gekookte ham: gesneden zoals u wenst. Achter de toonbank stond een man met een platte strohoed en een blauw-witgestreept schort naar me te kijken. Nadat hij had vastgesteld wie ik was, waar ik vandaan kwam en hoe het met oma's benen/dahlia's/dochters ging, werd ik geholpen.

Ik wachtte terwijl de kaas met een draad in stukken werd gesneden, de spek in plakken werd gesneden en gewogen, en ham met een vleesmes in medium tot dunne plakken werd gesneden. Ondertussen liet ik mijn blik over de planken glijden. Wat een culinaire woestenij: een schrale keur aan blikken bruine bonen, instantpuddingpoeder, instantjuspoeder, soep in blik, zilveruitjes, gelatine en augurken. En dan te bedenken dat de oudere generatie het nog steeds heeft over die goeie ouwe tijd. Wat ze je vergeten te vertellen is dat sinaasappelsap niets anders was dan aanmaaklimonade en je helemaal naar Frankrijk moest voor een fatsoenlijk stuk camembert en dat kiwi's het noordelijk halfrond nog niet eens bereikt hadden.

Tijdens de terugweg in de auto voelde ik me hongerig en humeurig. Maar veel tijd om me lang ongelukkig te voelen had ik niet. Eenmaal terug had ik geen moment rust meer. Het was gewoon niet te geloven dat er zo'n drukte over een feest gemaakt werd. Maar eindelijk, eindelijk had oma de laatste bloem geschikt, had ik het laatste servet in een waaier gevouwen en stonden de glazen in een glanzende piramide opgestapeld, klaar om de gasten te ontvangen.

'Goed gedaan, Helga, volgens mij zijn we klaar', zei oma en ze verdween gehaast om 'een bad te nemen en zich enigszins toonbaar te maken'.

Ik liep de tuin in. De tent stond zachtjes te wiegen met kleine rukjes aan de stormlijnen.

Alles was klaar. Een licht avondbriesje ruiste door de rododendrons, houtduiven vlogen af en aan naar de duiventil. Een dunne kringel rook uit de boomgaard liet weten dat opa weer een van zijn eeuwige vuurtjes had gemaakt. De lucht rook naar gemaaid gras en brandend hout. Het was een perfecte namiddag – op het geluid na dan...

Een oorverdovende strijd tussen de Beatles en Bob Dylan klonk uit de slaapkamerramen van de twee meiden. Vanuit het ene raam streed 'Love Me Do...' om de lokale radio-golven, terwijl vanuit het andere raam 'The Times They Are a-Changin'...' de tuin in galmde.

Ik ging terug het huis in. Caroline rende met potjes en tubes vol kleverige inhoud heen en weer tussen haar slaapkamer en de badkamer. Ze had een groen gezichtsmasker op en haar benen waren bedekt met een stinkende crème die haar benen moest ontharen.

'Helga, kun je me even helpen?' vroeg ze.

Ze zat voor haar driedelige kapspiegel en was bezig haar wenkbrauwen te epileren. Haar haar was strak naar achteren getrokken met een stuk plakband en twee enorme haarkrul-len waren met plakband op haar wangen vastgeplakt.

'Wees een engel en zet even een andere plaat voor me op?'

Ik liep naar de stapel elpees naast haar platenspeler. Ik geloof dat ze elke plaat die de Beatles hadden uitgebracht bezat. Terwijl de muziek van 'Please Please Me' als dekmantel diende, fluisterde ze: 'Heb je ze?'

'De con-dooms, ja?'

'Je bent echt een reuzemeid, Helga.'

'O, het stelde niets voor?' zei ik. Ik nam maar aan dat deze rare uitdrukking er een van dankbaarheid was.

'Maar ik vroeg me af of ik je om nog een heel kleine gunst mag vragen?'

'Ja-a?' Dit beviel me helemaal niet.

'Nou, ik heb eens na zitten denken. Als ik ze heb. Nou, dan lijkt het net of, je weet wel...'

'Het jouw i-dee was?'

'Precies.'

'Maar dat was het ook, toch?'

'Ja-a, maar...'

'Je durft er niet tegen hem over te be-ginnen?' (Veertig jaar later – en er is eigenlijk nog niets veranderd, of wel?)

'Precies. Dus ik vroeg me af... Ik bedoel. Kun jij ze niet stiekem in zijn jaszak laten glijden – als hij niet kijkt. Voor het geval dat. Wil je dat doen? Alsjeblieft Helga...'

Na alle moeite die ik al gedaan had, leek het me belachelijk om nu terug te krabbelen.

'O, vooruit dan. Ik denk dat dat wel kan. Ik zal het proberen.' Haar dankuitingen werden onderbroken door een gil van Hanna.

Hanna, die haar haar behandeld had met henna en daarmee een feloranje rand had achtergelaten in de wasbak, was bezig de strijkplank haar kamer in te slepen. Ze instrueerde me dat ik haar haar van de wortels af tot aan de punten moest strijken. Het resultaat was dat het haar zacht en glanzend werd. Dat had ik echt nooit kunnen bedenken.

'Hef-tig?' zei ik toen ik het eindresultaat zag.

'Pardon?' Hanna's gezicht was rood aangelopen van het vooroverhangen.

'Ik bedoel dat je er vet uit-ziet?'

'Je zegt echt de vreemdste dingen, Helga.'

Op dat moment klonk er opnieuw een gil, dit keer vanuit Carolines kamer. Ze probeerde met tien net gelakte nagels valse wimpers aan te brengen.

Om een valse wimper op het oog van iemand anders te

plakken heb je dezelfde precieze timing en handvaardigheid nodig die is vereist om een ruimteschip te koppelen. Ik vond dat ik tijdens mijn derde poging het er ten minste bij één oog redelijk had afgebracht.

Ze staarde in de spiegel met een uitdrukking die veel weg had van wat ik uit het heden herkende als 'mama's spiegel-gezicht'. Ze trok de wimper er af en zei: 'Ik kan het beter zelf doen.'

Oma riep uit haar slaapkamer: 'Hanna, hoe laat heb je met de band afgesproken dat ze hier zouden zijn?'

Hanna riep terug: 'Hoe moet ik dat weten. Ik ben niet degene die met ze gesproken heeft.'

'Dan moet het Caroline geweest zijn.'

'Dat moet je mij niet vragen. Ik weet er niets van af', antwoordde Caroline.

'Wie heeft ze dan gesproken?' vroeg oma. 'En nog belang-rijker. Waar blijven ze?'

Maar ik kon me niet druk maken over de band. Ik maakte me druk om dringendere en belangrijkere problemen. Wat moest ik in vredesnaam aan? Maar het leek erop dat oma daar al over nagedacht had.

Mijn 'kostuum' hing op een hanger aan de schilderijlijst in de bergruimte. Het bestond uit een zwarte jurk en een wit schort. Een serveerstersjurk. Ze kon toch niet serieus ver-wachten dat ik dat aantrok?

Nijdig trok ik het aan. De jurk was gemaakt van vreselijke zwarte, kriebelende wol, net zoals die gruwelijke school-uniformen. Het viel net over de knie, die verschrikkelijke lengte die alle aantrekkingskracht meteen om zeep hielp. Maar ik had niets anders. Ik knoopte het schort om.

Ik leek wel een vogelverschrikker.

Caroline kwam uit haar kamer. Ze had de paarse nylonjurk met de haltertop aan. Het reikte tot ongeveer twee centimeter onder haar slipje. Haar hele gezicht zat verstopt achter een dikke laag witte foundation. Haar lippen glansden felrood en haar ogen waren twee enorme zwarte meren omgeven door dikke, lange wimpers.

Op dat moment werd deze hele 'omgekeerde wereld'-situatie me echt te veel. Ze was verdomme mijn moeder! Moeders hoorden zich niet op te doffen voor feestjes. Ze hoorden zich netjes terug te trekken in de keuken om daar huishoudelijke dingen te doen. En ze hoorden zich uit de voeten te maken wanneer het feestje goed uit de hand begon te lopen. Ze kunnen handig zijn als de politie op de stoep staat, maar het is in feite het beste als ze niet in de weg lopen en zich pas de volgende ochtend weer laten zien als er kots en gebroken glas opgeruimd moet worden. Ik was verdorie degene die zich had moeten opdoffen om naar een knalfuif te gaan. Niet zij.

'Hoe zie ik eruit?' vroeg ze, terwijl ze de verenboa over haar schouder sloeg.

'Erg tren-dy?' zei ik grootmoedig.

Op dat moment klonken de eerste klanken uit de tent. De band was blijkbaar inmiddels gearriveerd. De muziek dreef door de open ramen naar binnen... deze melodie kwam me bekend voor.

Ik luisterde ingespannen.

Ik kon me niet vergissen.

'Hoor je dat? Ze spe-len dat liedje van de Beatles, je weet wel "Magical Mystery Tour"... Luister...?'

Caroline keek me niet-begrijpend aan.

'Magical wat?'

'Magical Mystery Tour', herhaalde ik.

Hanna was inmiddels ook uit haar kamer tevoorschijn gekomen. Een grotere botsing tussen twee stijlen kon je je niet voorstellen. Ze had een paars fluwelen gothicjurk aan die tot op de grond viel. Haar handen staken uit wijde middeleeuwse mouwen, afgezet met kersrood satijn. Haar nagels waren zwart gelakt en haar lippen waren een soort van donker roodpaars gestift.

'Wat is een "Magical Mystery Tour"?' vroeg ze.

'Een liedje van de Beatles?'

Ze staarden me allebei aan alsof ik gek geworden was. 'Welk liedje van de Beatles?'

Een windvlaag dreef de muziek luid en duidelijk door het raam naar binnen. Opeens daagde het me. Dit was de enige elpee die Caroline niet had... zou het kunnen... *dat het nog niet uitgebracht was...?*

12

Ik denderde met twee treden tegelijk de trap af.

De tent stond in het midden van het gazon te trillen. Ik glipte door een opening in het canvas. De groep had hun apparatuur aan het andere eind van de tent klaargezet. Op het podium stonden drie mensen. Een enkele lichtstraal scheen op de persoon die het verst bij mij vandaan stond. Het lichtte *de highlights in zijn warrige haardos* op.

Mijn hart sloeg met een sprongetje over. Man, ik was bijna vergeten hoe ontzettend, weekmakend knap hij was. Ik stond op het punt naar hem toe te lopen voor een 'ontzettend ontroerend' weerzien. Totdat ik bedacht, shit, ik heb niet eens tijd gehad om lijntjes onder mijn ogen te zetten! Jezus, en ik zie er waarschijnlijk niet uit in deze afschuwelijke zwarte jurk. Ik zag er *vreselijk* uit. Dat had ik weer, ik was op een *ontzettend belangrijk keerpunt in mijn leven* aanbeland en ik zag eruit als een figurant in een derderangsfilm.

Op dat punt werd ik door oma in mijn kraag gegrepen en naar de keuken gestuurd. Op dit moment, voor nu tenminste, was ik 'personeel'.

En ik was niet alleen. Het leek erop dat Geschifte Guusje, Luie Lia en Dolle Dirkje uit het dorp geplukt waren voor dit evenement. Ze waren druk met het uitwisselen van de laatste dorpsroddels terwijl ik glazen vol met champagne goot en op dienbladen zette.

'Dat is haar taak daar, de drankjes rondbrengen', zei Geschifte Guusje.

'Ze begrijp 't nie – z'is buitenlandsss', zei Luie Lia terwijl ze me zijdelings opnam. Ze blies haar hete adem op een glas en wreef het er met haar mouw af. Dolle Dirkje demonstreerde door middel van gebarentaal hoe ik een dienblad moest dragen en gaf me een duw in de richting van de gasten.

De rest van de avond bleven deze drie me als een doof-stomme imbeciel behandelen.

Mijn avond begon voorspoedig, eerlijk gezegd. Gedurende het eerste uur of zo hield ik me schuil buiten de tent in een briesje. Met een blad champagne in de aanslag hoopte ik dat Los me niet zou spotten. Het was de bedoeling dat de gasten begonnen met een 'inspectie van de troepen' bestaande uit een bontgekleurde rij van opa, oma, Caroline en Hanna. Vervolgens konden ze een glas champagne van het dienblad nemen en naar binnen gaan om zich onder de andere gasten te mengen. Het merendeel van de vroege vogels die arriveer-den, bestond uit een mengeling van grijsharigen met stevige boezems of dikke buiken, afhankelijk van hun sekse. Deze eerste lichting waren overduidelijk vrienden van opa en oma, met af en toe een familielid ertussendoor.

Een van hen, een heer met een lange baard en een smoking vol medailles, weigerde de champagne. Ik werd weggestuurd om whisky te gaan halen.

Hanna glimlachte vaagjes terwijl hij haar een dikke smakkerd gaf.

'Ik herinner me nog goed hoe ik je op mijn knie liet rijden, kind', zei de whiskydrinker. 'Proost!' En hij liep door.

'Wie was dat?' wilde Hanna weten, toen hij buiten gehoorsafstand was.

Niemand scheen het te weten.

Het geluid van loeiende motoren op de oprijlaan en een hoop gegooi met autodeuren en een boel geschraap van kelen kondigden de komst aan van wat de hele jeugdafdeling van de rechts-conservatieven leek. Nadat ze een hoop ongelooflijk suffe en gedateerde goedkeurende geluiden hadden gemaakt – zoals 'zo, zo', 'dat mag er wezen' en 'te gek, man' – liepen ze met hun champagne de tent in. Het eerste wat ze deden was het bestuderen van het menu en de tafelschikking. Ze bekeken of ze wel een goede plek hadden gekregen die overeenkwam met hun positie op de sociale ladder.

Na hen volgde Herman. Gewassen en geboend tot hij ervan glom. Hij zag eruit alsof hij zich niet op zijn gemak voelde in zijn – zo te zien – nieuwe smoking.

'Jeetje, snoes', riep hij toen hij de lengte van Carolines jurk zag. 'Da's niet mis.'

Caroline trok aan de zoom van haar jurk zodat die een halve centimeter langer werd.

'Je vindt het toch niet te kort, of wel?'

'Gossie, nee', zei papa. 'Zeker niet. Zeg, zullen we dansen?'

En ze verdwenen richting de dansvloer, waar ze zich in allerlei vreemde bochten wrongen – wat waarschijnlijk dansen voor moest stellen.

Voor het volgende gedeelte van de avond kreeg ik promotie en liep ik rond met een fles om de glazen van de gasten bij te vullen.

Elke keer dat Hanna haar glas uitstak was het leeg.

'Man, wat is dit een saai gedoe', zei ze terwijl ik haar glas voor de zoveelste keer bijvulde.

'Maar dit is jouw feest. Hoor je je niet te a-museren, ja?'

'Geen van mijn vrienden zijn er al', klaagde ze. Ze nam een pakje vloeitjes uit haar avondtasje en begon een joint te draaien.

'Ik zou dat niet hier doen als ik jou was, Hanna.'

'O, wees toch niet zo saai, Helga. Alsjeblieft zeg.'

Nou ja, ze probeerde natuurlijk alleen maar in de stemming te blijven.

Toen ze de sigaret eenmaal aangestoken had, staarde ze met een strakke blik naar het podium.

'Hippe muziek', zei ze. 'Beminnelijke vent, ook, die zanger. Die heeft stijl.'

Ik knikte.

Los zag er echt fantastisch uit. Hij speelde een woeste mix van de grootste hits uit de jaren zeventig en tachtig. Voor de gasten waren al deze gouwe ouwe uiteraard uiterst baanbrekend en vernieuwend. Zelfs de meest gedateerde ABBA-liedjes kregen applaus.

'Ja hè, echt wel, niet?' stemde ik in. Ik voelde een warme gloed van trots. Ik bedoel, het was niet zomaar een meisje dat door dit perfecte stuk mannelijkheid was opgespoord. Tijdens het derde gedeelte van de avond hoefde ik geen drank meer te schenken, maar moest ik aan tafel bedienen. Ik werd druk beziggehouden – garnalencocktail en canard à l'orange met drie soorten groente uitserveren aan zoveel mensen is geen grap. Ik nam net een korte pauze voordat de schwarzwalder-kersentaart uitgeserveerd diende te worden, toen er een pauze op het podium viel en Los op de microfoon tikte. Ik hoorde zijn stem zeggen: 'Mag ik heel even uw aandacht, alstublieft? We spelen nu een nummer voor een lieftallige jongedame die hier níét een miljoen mijl vandaan is.'

Mijn hart miste een slag en ik voelde een siddering vanbinnen, het gevoel ging direct naar mijn ruggengraat. De band speelde 'Silver Surfer'.

Ook al stond ik in het donker, in mijn afschuwelijke jurk, en had ik een schaal stollend vet en afgekloven eendenbotten in mijn handen, het voelde alsof er plotseling een spot op me gericht was. Ik voelde me alsof ik vanbinnen gloeide en een innerlijke warmte door alle triviale details waar ik mee bezig was heen scheen. Inclusief mijn outfit. Los zijn stem trilde van emotie terwijl hij het woord 'Venus' zong en zijn stem een klein beetje brak. Hij zong over mij.

Ik wenste dat het moment eeuwig zou duren...

Vooral gezien het feit wat er vervolgens gebeurde. Terwijl de laatste akkoorden wegstierven hoorde ik Los zeggen:

'Deze was voor Hanna. Van harte gefeliciteerd namens de hele band. Dank u wel.'

Blindelings strompelde ik naar de uitgang en botste onderweg tegen Guusje of Lia op. Op de een of andere manier vond ik de uitgang van de tent.

'Waar ga jij heen?' wilde Dolle Dirkje weten terwijl ze een serveerschaal in mijn richting duwde.

Ik luisterde niet. Ik was al genoeg vernederd. Ik rende naar boven en zette koers richting Carolines kleerkast. Het was gewoonweg onmogelijk dat een vrouw zichzelf kon respecteren als ze zo gekleed was als ik. Ik moest Los spreken, maar eerst moest ik iets verfijnds en geraffineerds vinden om aan te trekken. Ik had geen tijd te verliezen.

Maar dit was Carolines kleerkast. Ik trok er een aantal dingen uit die ik meteen afkeurde: een nylon mini-jurk met een

psychedelische print, een ontzettend roze gehaakt heup-
broekpak, een glimmende zwarte minirok van pvc – interessant – maar er was geen bijpassend topje. Shit!... Wacht!
Wacht even... Wat was dit? Een nauwsluitende, rechte,
zilverkleurige lurex jurk was van haar hanger gevallen en lag
op de grond.

Ik trok haar aan. Ze paste! Het zag er zelfs behoorlijk goed
uit, al zeg ik het zelf. Nu nog panty's... De enige panty's die
nog heel waren, hadden over de hele lengte madeliefjes –
Horror! Maar goed, dit was niet het moment om kieskeurig
te worden. En schoenen – gelukkig hadden we dezelfde
genen. Caroline en ik hadden precies dezelfde schoenmaat.
Ik deed een paar limoengroene lakleren pumps met open hiel
aan. Limoengroen!

Make-up! Ik deed een snelle metamorfose. Gematteerd
wit gezicht, massa's overdreven oogschaduw. Geen valse
wimpers! Ik tekende met een oogpotlood rondom mijn ogen
kleine spinnenpootjes. Een klein beetje lijkbleke lippenstift
en als laatste een paar gigantische plastic witte ringen in mijn
oren. Haar! Ik trok het naar achteren en deed een haarband
in. Hoe dan ook... daar gaan we dan!

Terwijl ik de kamer uitliep zag ik een glimp van mezelf in de
passpiegel en vertraagde mijn pas. Zelfs ík herkende mezelf
niet.

Eenmaal terug bij de tent hoorde ik Hanna's stem. Ze begeleidde zichzelf op gitaar en dreunde in de microfoon:
'Alleen een bezorgde man kan een bezorgd lied zingen...'
Een nogal bedroefde tekst, zelfs in goede tijden. Dus ik
vermoedde dat haar vrienden nog steeds niet op waren
komen dagen.

Ik bleef een paar minuten voor de tent hangen. Ik haalde diep

adem en bedacht met wat voor memorabele zin ik Los zou
aanspreken. Het was tijd om 'mijn entree te maken' en een
blijvende indruk van mijn geestigheid, charisma en algehele
onweerstaanbaarheid te creëren.

'Hal-lo', zei een stem, met die onmiskenbare ondertoon van
een man die denkt dat hij 'iets goeds te pakken heeft'.

Het was Herman.

'Hal-lo?' zei ik nogal koel. Hij had me duidelijk niet herkend.
'Ik ben het. Hel-ga? Je weet wel? De au pair?'

'Inderdaad', zei Herman, terwijl hij met zijn arm tegen het
canvas van de tent leunde in wat hij waarschijnlijk dacht
dat een verleidelijke houding was. Het canvas gaf mee en
Herman viel bijna voorover. Typisch!

Op dat moment herinnerde ik me de condooms.

Shit! Caroline zou het me nooit vergeven als ik het vergat. En
laten we de mogelijke consequenties ook even niet vergeten!
Eén oudere zus was meer dan genoeg!

'Wacht hier? Moet even iets ha-len? Blijf staan. Ik ben zo
terug', zei ik.

Herman dacht blijkbaar dat dit betekende dat hij beet had.
Hij gaf me een vette knipoog.

Ik was geschokt. Eerlijk waar!... Mannen!

Ik rende zo snel als de pumps toelieten de trap op, vond het
pakje in de zak van mijn spijkerbroek en klikklakte weer naar
beneden.

Het enige wat ik nu nog moest doen, was een manier vinden
om dicht genoeg bij hem te komen zodat ik het pakje in zijn
jaszak kon laten glijden. Maar niet te dichtbij.

'Zin om te dansen?' vroeg ik.

'Nogal', zei Herman. 'Maar laten we niet naar binnen gaan.
Veel te druk.' En hij begon te slowen en duwde me in de

richting van de rododendrons. Dit was echt te walgelijk!

'Caroline is een lieve meid, vind je niet?' zei ik.

'En Helga ook', zei Herman, hij had zijn ogen dicht en neuriede tegen zichzelf. Ik denk dat hij een beetje dronken was.

Ik nam deze kans om het pakje in zijn zak te laten glijden. 'Dat was een erg fijne dans Herman, dankjewel – en nu gaan we naar bin-nen en fees-ten we daar ver-der?'

'Nog niet, Helga. Het is hier lekker. Hier, laten we een sigaret nemen.' Hij klopte op zijn jaszak en nam er een pakje uit waarvan hij klaarblijkelijk dacht dat het een doosje lucifers was.

'Zeg, Helga', zei hij, terwijl hij opeens zijn conclusies trok. 'Jeetje... Ik weet niet wat ik moet zeggen. Jullie Zweedse meisjes... Nou...'

Inmiddels wist ik niet hoe snel ik in de tent moest komen. Herman kwam me achterna en struikelde over de lijnen waar de tent mee vast stond.

'Helga... Wacht. Zeg, Helga.'

We stonden oog in oog met Caroline. Haar ogen schoten vuur.

'Ja, Herman?'

Binnen in de tent sloeg iemand met zijn ring tegen een glas om stilte. Een stem zei:

'Als peetoom, denk ik, dat ik *aangemoedigd* mag worden een paar woorden te spreken...'

In de stilte die volgde was de whiskymeneer wankelend overeind gekomen.

'Het is erg fijn om zoveel...' Hij liet een troebele blik over de menigte van onbekende gezichten glijden. '...Zo velen van *Ons... Hier... Op deze gelegenheid*...' Hij wankelde. '...*Tezamen!*'

De band had blijkbaar pauze. Het podium was leeg, dus moesten ze buiten zijn. Ik schoot door de uitgang terug naar buiten. Herman en Caroline waren tussen de rododendrons verdwenen en ik hoorde hoe hij haar probeerde te kalmeren. Op dat moment kroop er een arm om mijn middel en hoorde ik een stem zeggen: 'Zoals ze in de film zeggen "ik ben gekomen om je van dit alles weg te halen".'

Het was Los.

Ik draaide me met een ruk om. 'Hoe kon je?' zei ik.

'Hoe kon ik wat?'

'Míjn lied voor Hanna zingen.'

'Jóúw lied?'

'Silver Surfer.'

'Ze zat daar zo alleen. En ze zag er zo ellendig uit. Ik moest iets doen om haar op te vrolijken. Het is haar verjaardag.'

'Maar "Silver Surfer". Dat is míjn lied.'

'Jóúw lied?'

'Nou ja, dat nam ik aan, omdat jij wilde dat ik Venus was en zo...'

'Staan we hier nu werkelijk over een lied te kibbelen?'

'Nou ja, nee bedoel ik. Wat denk jij?'

'Mensen kunnen liedjes niet *bezitten*. Waarom wil je zo nodig dingen bezitten? Zoals liedjes, of, nu we het er toch over hebben, mensen.'

'Dat is zó arrogant om te zeggen.'

'Maar dat is wel het probleem. Of niet dan?'

Ik voelde hoe de tranen over mijn wangen liepen.

'Je begrijpt het gewoon niet.'

'Nee, jíj begrijpt het niet. Snap je het dan niet. Waar ik vandaan kom gaan de dingen anders. Mensen willen geen liedjes bezitten. Mensen willen elkaar niet *bezitten*.'

Er klonk een gekwelde toon in zijn stem.

'Waarom ga je daar dan niet naar terug. Ga terug naar waar je thuishoort. En blijf daar!' schreeuwde ik.

'Oké', zei Los. 'Als dat is wat je wilt. Oké, dan doe ik dat. Dat is precies wat ik ga doen.'

Hij liep achteruit, draaide zich om en beende tussen de tafels door naar het podium.

Ik volgde hem naar binnen. Ik was me nauwelijks bewust van mijn omgeving. Alles gonsde en vervaagde.

De whiskydrinker was nog steeds aan het woord:

'...het glas te heffen... meerderjarig worden... van...' Zijn glas helde vervaarlijk terwijl zijn hersens maalden op zoek naar Hanna's naam.

'...en tot wat een prachtige jonge vrouw... eh... *zij*... is opge-groeid...'

Alle ogen richtten zich op Hanna terwijl ze glazig glimlachte. Ik keek verdoofd toe terwijl de man verder ging. 'Het lijkt wel gisteren dat ik je op mijn knie liet rijden, mijn kind. En toen kwam school, natuurlijk... waar ze ontzettend goed was in... maar wie heeft diploma's nodig... als je charme hebt en populair bent...'

'...en een geweldige vent die liedjes aan je opdraagt...' ziedde ik.

'Dus willen jullie alsjeblieft zo *voortreffelijk* zijn om je glas te heffen voor het meerderjarig worden van... van...'

Hij wankelde.

Hanna nam een diepe trek van haar sigaret en keek hem aan. 'Hester.'

De toost verdronk bijna in het lawaai van brullende motoren die door de straat aangereden kwamen. Door een opening in het tentdoek registreerde ik vaag dat een groep langharige motorrijders de oprijlaan opdraaiden. Ze hielden stil op het gazon. Het waren er minstens vijftig. Er ontstond lichte paniek in de tent. Mensen stonden op van tafel en de vrouwen werden naar het andere einde van de tent gedirigeerd. Een aantal jongconservatieven deden hun jasjes uit en probeerden er woest uit te zien. Iemand opperde om de politie te bellen.

'Dat zal niet nodig zijn', zei Hanna.

Het leek erop dat haar vrienden eindelijk gearriveerd waren. Oma liet zich niet van haar stuk brengen en schreed naar voren om zich te laten voorstellen aan de late gasten.

'Mooie tent heeft u hier', hoorde ik de grootste motorrijder zeggen terwijl hij zijn vettige klauw naar oma uitstak. Hij had lang rood haar en een golvende baard en droeg een ketting van bloemen en kralen om zijn nek.

'Wat fijn dat u er bent', zei oma, terwijl ze trachtte eruit te zien alsof ze elke dag bebaarde motorrijders behangen met bloemen ontving.

Hierna, met totale onverschilligheid voor mijn persoonlijke misère, werd het feest een stuk gezelliger. De nieuwe gasten leken de mensen aan te moedigen al hun remmen los te gooien. De meeste mensen hadden hun glazen terzijde geschoven en dronken rechtstreeks uit een fles. Een kleine groep stond zelfs gevaarlijk te dansen op de tafels. Beneden hen lagen diverse groepen mensen van verschillende sekse die een soort bescheiden orgie hielden. Joints en dergelijke gingen rond. Een van de motorrijders had besloten een spontane striptease te doen. Een aantal andere figuren die er nogal verloren uitzagen, dwaalden halfnaakt rond.

Volgens de maatstaf van de eenentwintigste eeuw was dit een vrij normaal feest.

Volgens de maatstaf van 1967 was het meer dan schandelijk. Ik vond dat ik het aan mijzelf verplicht was om de schijn op te houden dat ik het naar mijn zin had, dus ik voegde me bij de krioelende massa op de dansvloer. Ik moet bekennen dat ik er eerlijk gezegd helemaal in opging. Iemand had me een slok van zijn fles champagne gegeven en iemand anders een trek van zijn jointje. Over het algemeen had ik het gevoel dat het feest goed op gang kwam. Ik danste uitgelaten met zo'n beetje iedereen om mij heen. Ik hoopte dat Los zag hoe populair ik wel was. Ik zorgde ervoor dat ik goed zichtbaar was vanaf het podium. En waardig zorgde ik er opzettelijk voor geen oogcontact te maken met Los.

Maar er werd niet alleen gedanst. Een aantal van Hanna's vrienden voerde een verhitte discussie met de leden van de jongconservatieven over protesten tegen de atoombom. De grootste en zwaarste motorrijder was op een tafel geklommen en riep dingen over 'fascisten' en 'oorlogs-stokers'.

Opa en de whiskydrinker hadden hun jasjes uitgetrokken en iemand anders riep iets over 'communisten' en 'rooien'. Een groepje jongconservatieven had van tafels en stoelen een geïmproviseerde Berlijnse Muur gebouwd. En net op het moment dat deze Koude Oorlog op het punt stond uit te breken en te veranderen in een kleine slachting arriveerde de lokale politie ten tonele.

Er was een plotselinge stilte. Eerlijk gezegd had ik in al het tumult niet eens gemerkt dat de band gestopt was met spelen.

Wacht even, de band stond niet meer op het podium. Waar waren ze gebleven? En waar was Hanna?

13

'Waar is Hanna?' schreeuwde ik terwijl ik naar buiten wankelde.

Ik struikelde bijna over de grote roodbebaarde motorrijder die buiten in een hoekje met een fles champagne in zijn grote klauwen zat.

'O, ze is ervandoor. Met die coole gasten van de muziek. Naar de stad. Tenminste als hun busje het haalt.'

'Met wie?'

'Die rare snuiters die die rare muziek speelden.'

'Wanneer... wanneer zijn ze weggegaan?' vroeg ik hulpeloos. Ik stoof om de tent heen richting de oprijlaan. Hij had gelijk. Het busje was weg. Ze waren zonder mij vertrokken.

Maar, maar... dat kon toch niet waar zijn. Ik rende door het hek de weg op en dook tussen de auto's door die nu in groten getale het terrein verlieten. Ze hadden me in de steek gelaten...

En opeens besefte ik me wat dit allemaal betekende. Ik was gestrand. Achtergebleven. Ik zat misschien wel voor eeuwig vast in 1967. *O mijn god*!

Oma riep me vanuit de keuken. Bijna alle gasten waren naar huis. De laatste motorrijders reden met een oorverdovend lawaai van ronkende motoren de weg op. Een laatste blik in de tent – die eruitzag alsof er een bom ontploft was – bevestigde mijn gedachten. Ik moest hier weg zien te komen, maakte niet uit hoe.

'Hé,' zei ik tegen de roodbebaarde motorrijder die bezig was zijn helm op te zetten en op zijn motor klom, 'waar ga je naartoe?'

'Katwijk.'

'Katwijk?'

'We starten onze eigen leefgemeenschap. Groot oud huis. Fantastische grote tuin waarin we al onze eigen groenten kunnen verbouwen. Hé zus, we kunnen wel meer meiden gebruiken, waarom sluit je je niet bij ons aan? We hebben een geit en alles.'

Een geit! Tjonge! Wie kan zo'n aanbod nou in de wind slaan?

'Is Katwijk in de buurt van de stad?'

'Katwijk ligt ín de stad.'

'Kan ik mee dan?'

'Klim maar achterop, pop.'

En dat deed ik.

Hij trapte op het pedaal van de motor en de motor kwam sputterend tot leven en viel weer stil.

In de stilte voor hij de motor opnieuw startte, hoorde ik oma's stem. Ze was in de struiken aan het zoeken en riep: 'Caroline, Herman. Kom eruit. Ik weet dat jullie hier ergens zitten. Kom eruit, nu.'

In de ochtend zou vast en zeker de hel losbreken.

De wegen in het buitengebied waren uitgestorven. Ik had het sterke vermoeden dat mijn roodbebaarde motorrijder zijn spanning en sensatie uit snelheid haalde. We vlogen echt over de weg. Hoewel ik echt doodsbang was, voelde ik me toch ook opgelucht. Elke kilometer die we reden bracht me dichter bij de stad. Ik klampte me aan zijn grote lichaam vast alsof mijn leven ervan afhing. In de bochten kneep ik mijn ogen stijf dicht. Ik had nooit gedacht dat je een bocht zo scherp kon nemen.

We hadden net een hele scherpe bocht genomen toen hij opeens snelheid minderde.

'Waarom stoppen we?' schreeuwde ik in zijn oor.

Hij knikte naar de zijkant van de weg.

In een parkeerhaven stond een groot aantal motoren kriskras geparkeerd. De berm liep naar omhoog en op het heuveltje zagen we de silhouetten van de slapende motorrijders.

Hanna's vrienden lagen 'hun eigen ding te doen, man' en sliepen de nasleep van het feest weg. Het geluid van de motor die tot stilstand kwam, wekte een aantal mensen en slaperige hoofden werden opgetild.

'Hé, man. Het is Robbo en dat meisje van dat feest van net.'

'Hé, broeder... Hé, zuster. Kom erbij.'

Voor ik tegen kon sputteren zaten we met z'n allen aan een gemeenschappelijk 'ontbijt' bestaande uit blikjes bier. Iemand zat lui op een gitaar te tokkelen. Een van de meisjes kwam erbij zitten en zong een lied. Het lied bestond uit een heleboel vragen die elke keer gevolgd werden door een onbevredigend zinnetje, dat het antwoord 'in de wind waait'. Het was vreselijk frustrerende en hartverscheurende muziek. Terwijl ik net probeerde ze allemaal in beweging te krijgen, zorgde de muziek ervoor dat ze allemaal kalm en sloom werden.

Uiteindelijk kwam een van de motorrijders half overeind. Hij steunde op zijn elleboog en zei: 'Dacht dat we misschien

eens richting de stad moesten gaan. Kijken wat er te doen is.'
'Waar precies?' vroeg mijn motorrijder.

Het scheen dat er een of andere verbroedering in het park
zou zijn. De verbroedering werd georganiseerd om te vieren
dat de Rolling Stones vrijgesproken waren van een of andere
beschuldiging over drugs. En dat was – uiteindelijk –waar ze
allemaal naar op weg waren.

'Zeg, waarom ga je niet met ons mee?' zei hij. 'Het is
allemaal gratis. Maar we moeten er wel vroeg zijn als we nog
wat willen beleven.'

'Prima, waar wachten we nog op?' zei ik bemoedigend.

Niemand reageerde. Toen de zon al hoog aan de hemel
stond, lagen ze nog allemaal te soezen. En ik had geen
andere keuze dan ook te wachten, kokend van ongeduld. En
net toen ik het wilde opgeven en van plan was om te gaan
liften, zei iemand dat hij dacht dat ze maar eens in beweging
moesten komen en op weg moesten gaan.

En iemand anders zei dat hij dacht dat dat wel een goed idee
was. En de anderen zeiden dat ze het ermee eens waren. En
vervolgens gebeurde er een hele tijd niets.

Tot eindelijk een van de motorrijders opstond, zich uit-
strekte, het stof van zijn kleren sloeg en nog een beetje stijf
op zijn motor klom. En, zonder dat er een woord gewisseld
werd, volgde de rest zijn voorbeeld. Ik klom bij Robbo
achterop en we reden er met z'n allen vandoor, op weg naar
de stad.

Toen we, eindelijk, de stad bereikten, trokken we behoorlijk
wat aandacht met onze brullende motoren in de nauwe
straten. Al snel zaten we midden in het centrum, waar alle
jeugd zich concentreerde. Straat na straat was gevuld met

rijen boetiekjes met namen als Oma Tript en Psychedelisch, en iedereen droeg buttons met teksten als *Voer eendjes, geen oorlog* en *Ban de bom*. We moesten steeds stoppen voor toeterende verkeersopstoppingen en raakten alsmaar verzeild in straten met eenrichtingsverkeer. En opeens waren we in het centrum van de jaren zestig.

Alles ademde hier liefde en vrede. Zelfs de stoep was in vrolijke kleuren geschilderd.

Zover als het oog reikte, zag ik gekleurde vlaggen met psychedelisch fluorescerende linten. Hier kwamen Mondriaan en victoriaanse kunst samen, ontmoetten art nouveau en popart elkaar, en dat alles gemixt met opart. Het was een wilde mengelmoes van botsende culturen en stijlen. Vanuit elke deuropening streden de Beatles met de Rolling Stones, vochten ze met Golden Earring om te kijken wie het volume het verst open kon zetten. Eerlijk gezegd was het rijden door deze straat alsof je in een megagrote caleidoscoop gevangenzat die door een buitenaards wezen dat lsd gebruikt had door elkaar werd geschud. Heftig! Man, de hele wereld stond hier op zijn kop!

We reden verder de stad door en overal op de stoep liepen massa's mensen die er allemaal uitzagen alsof ze veel te hard hun best hadden gedaan voor een 'kom verkleed als in de jaren zestig'-feest. Tengere mannen met bossen lang haar en piepkleine, dijbeenafknellende fluwelen heupbroeken werden begeleid door grote, stevige meisjes op ellenlange benen die bovenaan nog net bedekt werden door minuscule minirokjes. En ze liepen allemaal in dezelfde richting.

De optocht van motorrijders hield halt. Ik klom van de motor af en Robbo trok de motor op zijn bok. Iemand zei: 'Kom, laten we gaan en ons verbroederen, weet je.'

Maar Robbo schudde zijn hoofd. 'Moet eerst terug naar Katwijk.' Hij draaide zich naar mij toe. 'Ga je met me mee?' Eerlijk gezegd was ik niet wild enthousiast over het idee om me met een groep stinkende, ongewassen, langharige motorrijders te 'verbroederen'. Maar aangezien ik de keus had uit dit 'verbroederen' of een leefgemeenschap met een geit in Katwijk, koos ik toch vol overtuiging voor de 'verbroedering'. Dus toen Robbo vertrok, volgde ik de andere motorrijders het park in.

Het leek erop dat de 'verbroedering' erg in trek was. Waarschijnlijk vanwege het mooie weer en omdat het gratis en in de buitenlucht was. Dus alleenstaanden, stelletjes, groepen en simpele optimistische aanhangers die geen enkele kans maakten om ook maar een zoen op hun wang te krijgen – iedereen was naar het park gekomen op zoek naar liefde en verbroedering. Eenmaal in het park zag je door de mensen het gras niet meer. Zover je kon kijken, liepen er mensen die eruitzagen of ze de kleerkast van hun oma hadden geplunderd, maar zich absoluut niet zo gedroegen. Er waren uiteraard ook een hoop Rolling Stones-fans die de hele 'verbroedering' een extra warm hart toedroegen. Ik denk dat het hun manier was om de wereld te laten zien dat hun helden het verdienden om vrijgesproken te worden van de drugsaanklacht. Maar het leek me toch een vreemde manier om het te vieren, als je het mij vraagt. De meeste mensen om mij heen zagen eruit of ze gebruikt hadden of van plan waren datgene te gebruiken waarvan de Rolling Stones net hadden aangetoond dat ze het niet gebruikten.

Te midden van al deze overweldigende flowerpower zag ik opeens een bekend figuur. Eerlijk gezegd was het niet zo heel moeilijk om haar tussen deze mensenmassa te ontdekken.

Ze was duidelijk in haar element. Ze had de lange zijden sjaal die om haar hoofd zat, losgemaakt en wuifde ermee heen en weer als een voetbalsupporter.

'Kijk, daar heb je Hanna!' schreeuwde ik en ik wees naar haar.

'Je hebt gelijk', zei iemand anders. 'En al die coole, hippe vogels van die band zijn er ook.'

Het was waar. Pal achter haar stond Phil. Naast hem stond TeXas. En naast haar, in onze richting turend met zijn hand boven zijn ogen tegen de zon, stond... Los.

Ik struikelde over mensen terwijl ik me over, onder en langs 'broeders' heen perste. Het voelde alsof ik aan het rennen was maar niet vooruitkwam. Uiteindelijk worstelde ik me door de mensenmassa heen en bereikte hem.

'Hé, jij', zei Los. Misschien scheen de zon nog steeds in zijn ogen. Hij vertikte het in ieder geval om me recht aan te kijken.

'Hoi', zei ik.

'Kom hier', zei hij en stak zijn arm uit.

Ik deed een stap naar voren. Ik wist niet zeker wat er nu ging gebeuren en zei: 'Ik dacht dat je er met Hanna vandoor was gegaan.'

'Kom dichterbij', zei hij.

Ik deed nog een stap.

'Dat lijkt er meer op.'

Hij sloeg zijn arm om me heen en toen ook zijn andere arm en gaf me een lange, tedere omhelzing. Vervolgens gaf hij me een nog langere, tedere kus. En keek hij me recht aan met een gewoonweg onweerstaanbare blik. Ik was als verlamd in de blik van zijn blauwe ogen. Man, in zijn ogen staren was alsof je verdronk in een diep, bodemloos meer.

We waren helemaal in elkaar verdiept tot Hanna ons onderbrak en Los een handvol narcissen gaf.

'Waarom geeft ze je bloemen?' wilde ik weten.

Los zuchtte. 'Voor het geval je het nog niet gemerkt hebt, Hanna geeft iedereen bloemen.'

Hij had gelijk. Hanna had haar schoenen uitgedaan en had haar armen vol met bloemen die ze uit een perk in het park had geplukt. Ze koos willekeurig mooie mensen uit en gaf ze bloemen en zei: 'Vrede, broeders en zusters' en 'Hou van elkaar'. Het was allemaal vreselijk tenenkrommend en om je dood te schamen.

'We gaan zo meteen verkassen', zei Los.

'Goed plan', zei ik. Persoonlijk was ik niet heel erg dol op publieke 'verbroederingen'. Het leek allemaal te veel op van die vreselijke massale tienertongzoentoestanden – eerlijk gezegd was ik dat inmiddels wel ontgroeid.

'Waar zijn jullie van plan naartoe te gaan?' vroeg ik.

'Terug naar 3001', zei hij heel nuchter.

'Zei je nou 3001?'

'Ja, terug naar waar we vandaan komen.'

'Drie-duizend-en-een?'

Los knikte. 'Ik wil dat je met ons meegaat.'

'Maar dat is ongeveer duizend jaar verder. Meer zelfs als we hiervandaan vertrekken.' Er klonk lichte paniek door in mijn stem.

Los sloeg zijn arm om me heen.

'Maar ik ben daar dan ook', zei hij.

Ik schraapte mijn keel. 'Mag ik hier even een momentje over nadenken?'

Daar zat ik dan in het park. Ik zag eruit als de 'enige op het feestje die geen slok van de fles wodka had gekregen'. Ik had een serieuze paniekaanval. Ik staarde naar de in elkaar verstrengelde mensenmassa. Het viel me ineens op dat dit niet zomaar mensen waren. Het waren allemaal *jonge* mensen – ongeveer van mijn leeftijd. Behalve dan dat ze niet écht dezelfde leeftijd hadden. Want op het moment dat we terugwaren in 2005 was ik nog steeds in de bloei van mijn leven en waren zij allemaal allang hun 'houdbaarheids-datum' gepasseerd. En als ik naar 3001 zou gaan, dan zouden ze er geen van allen meer zijn. En dat gold ook voor de mensen waar ik om gaf. Franz, Henny, Tommie – iedereen die ik kende. En ik besefte opeens dat ik ze allemaal vreselijk miste. Jezus, ik miste zelfs mijn moeder en vader. Ik kon niet zomaar naar een ander millennium surfen. Ik moest eerst mijn eigen leven leiden.

Ik werd er, eerlijk gezegd, een beetje nederig van. Oké, stop maar met honen – ik voel me niet opeens Michael Jackson of zo – maar toch. Ik bedoel, waar verdween al die tijd naartoe? Los was onderuitgezakt. Hij zat dicht tegen me aan. Wacht even – hij sliep. Typisch! Ik keek naar hem terwijl hij sliep. Zijn ooglid trilde terwijl hij droomde. En hij glimlachte in zichzelf. En terwijl hij daar zo lag, zag ik hem zoals hij was. Gewoon een jongen. Hij was niet eens zo verschillend van de meeste jongens die ik kende – alleen een beetje anders. Ik bedoel, de meeste jongens besteden hun tijd aan meisjes lastigvallen, van gedachten veranderen, meisjes uitwisselen en van meisje naar meisje fladderen. Vooral de jongens die eruitzien als Los. In zijn hart was hij een surfer. En net zoals de surfers op het strand, was hij iemand die wachtte op de grootste golven en de heetste meiden. En meer was ik niet voor hem. Gewoon een van de meisjes die hij op zijn weg ontmoette.

Ik besefte opeens dat ik er helemaal naast had gezeten met al dat gedoe over 'volwassen worden'. Ik was helemaal niet echt volwassen geworden. Echt niet! Wie wilde er nu volwassen zijn? Dat was nu net waar al die mensen in de jaren zestig zo voor aan het strijden waren. Het recht om jong te mogen zijn. En het enige wat ik wilde, was jong en zestien zijn waar ik het hoorde te zijn, namelijk in 2005.

Op dat moment werd Los wakker. Ik wilde net voorzichtig aan hem vertellen dat ik niet dacht dat ik alles op kon geven en met hem de zonsondergang in kon surfen, toen mijn stem verdronk in de plotselinge herrie. Er kwam echt een hels kabaal uit de richting van de ingang van het park. Het klonk alsof er een rel was of zo.

Phil stond op. 'Klinkt alsof er iets te beleven is', zei hij.

Als echte surfers konden Los, Phil en TeXas het uiteraard niet laten om te gaan kijken wat er aan de hand was.

Ik volgde hen terwijl ze zich door de in elkaar gevlochten mensenmassa heen worstelden en naar de weg liepen. Het was een soort megaoptocht of -demonstratie. Feitelijk, nu ik nog eens goed keek, was het echt een demonstratie. Achter ons verscheen een figuur met een bord waarop hij *legaliseer hasj* had geschreven.

We liepen nog iets verder de straat op om beter te kunnen zien wat er allemaal gebeurde. En opeens, zonder waarschuwing, zaten we er midden tussen. Of we het nu leuk vonden of niet, we werden door de menigte opgeslokt en meegetrokken. Het was echt eng.

Los pakte mijn hand en zei: 'Hou goed vast en dan proberen we hier uit te komen.'

We zaten midden in een stroom mensen. Ze droegen borden met teksten als *durf te leven* en *vrede en liefde*.

Er liep ook een kerel met een masker van een doodskop op.
Hij had zijn lichaam van top tot teen in verband gewikkeld. Ik
kreeg het sterke gevoel dat ik hem al eens eerder ergens had
gezien.

Hij droeg een bord met de tekst: *voer eendjes, geen oorlog.*
Ik wist zeker dat ik hem eerder had gezien. Maar ik kon me
niet herinneren waar.

Deze kerel en nog wat opstandige mensen die leuzen scan-
deerden, kwamen snel dichterbij. Los probeerde me weg te
trekken.

Het lukte me niet om helder na te denken. Ik werd lastiggevallen door iemand anders die me in de tegenovergestelde
richting probeerde te trekken. Een paar mannen duwden ruw
tegen ons aan en ik voelde hoe mijn hand uit Los zijn hand
getrokken werd.

Ik klauwde, maar kreeg zijn hand niet te pakken.
Ik zag zijn uitgestrekte hand terwijl de menigte ons uit
elkaar dreef. Maar ik kon er niet bij. Onze handen waren
maar millimeters van elkaar verwijderd. Maar de millimeters
werden centimeters. En toen meters. Het gat werd groter...
en groter...

Achter me klonk het snerpende geluid van fluitjes en sirenes.
Ik draaide me vliegensvlug om en zag een woeste rij van
politiemannen met helmen en schilden en wapenstokken
naderen. Ze zagen er grimmig en vastberaden uit. Ik ving nog
een allerlaatste glimp van Los zijn gezicht op terwijl hij door
de menigte werd opgeslokt. De politie voerde een charge uit
en de menigte spleet uiteen en scheidde me van Los.
Politiepaarden met oogkleppen op dreven de mensen terug.
De menigte was nu opgesplitst in twee gescheiden groepen
schreeuwende mensen.

Op mij na dan. Op een of andere manier was ik een soort zachte en zeer kwetsbare buffer geworden tussen de politie en de demonstranten.

Een nogal overgedienstige politieman stond door een megafoon tegen me te schreeuwen dat ik uit de weg moest gaan. Op dat moment gooide de in verband gewikkelde man met de doodskop zijn bord op de grond en rende weg.

In een soort van reflex pakte ik het bord op. Ik bleef staan, aan de grond genageld, met het bord. Ik wist niet welke kant ik op moest. De politiemacht kwam ook tot stilstand, niet zeker wat ze nu moesten doen. Ik stond recht voor ze. Stokstijf. De menigte moet gedacht hebben dat ik ze uitdaagde, trotseerde.

Een van de demonstranten begon 'bravo' te roepen. De hele menigte demonstranten begon te fluiten en te juichen en hard te applaudisseren. Op hetzelfde moment sprong er een fotograaf naar voren en nam een foto van me.

Opeens was ik een held. Mensen trokken me terug de menigte in en ik werd van alle kanten gefeliciteerd. Maar in het tumult werd ik steeds verder en verder weggevoerd van de plek waar ik Los voor het laatst gezien had. Vreemden sloegen hun armen om me heen en een heleboel mensen probeerden mijn hand te schudden.

Ik bleef maar herhalen dat ik terug moest, dat ik iemand kwijt was.

Maar niemand luisterde of trok zich er iets van aan. Ze trokken me mee door de straten naar een plein. Ze verzamelden zich voor een gebouw en toen brak de hel pas echt los. De demonstratie werd steeds grimmiger en er werden stenen gegooid. De politie viel aan, wapenstokken in de aanslag. Ik worstelde me naar achteren. Ik duwde net zo lang tot ik uit het gedrang was en weer vrij kon lopen. En toen begon ik te rennen. Ik rende blindelings tot ik opeens helemaal alleen was. Ik bevond me in een smalle zijstraat. In de verte kon ik nog steeds de boze menigte op het plein horen schreeuwen. Ik was alleen en bang en het begon donker te worden. En het ergste van alles, ik was Los kwijtgeraakt. Alwéér.

Ik kon maar één plek bedenken waar ik hem misschien zou kunnen vinden. De Kruislaan.

14

Het was echt uren lopen. De straten waren onheilspellend donker en griezelig op dit tijdstip. Het enige geluid op dit uur kwam uit open- en dichtslaande deuren van kroegen. Als ik er eentje voorbij liep, rook ik de geur van verschaald bier. Op een gegeven moment wankelde een dronkaard voor mijn neus naar buiten.

Mijn doel was de Kruislaan, naar het huizenblok waar ik Los en die gast met die dreadlocks een vage deal had zien maken. Krantenpagina's dwarrelden in de goot en resten groenten vertelden me dat hier overdag de groentemarkt stond. Op de plek waar het café De Zevende Hemel had gezeten, speurde ik de gevels af. Ik stuitte op een trapportaal dat omhoog leidde en erg leek op wat ik me kon herinneren. In het portaal had iemand met krijt iets op de muur geschreven. Er stond:

Joh. Peeters
Tempus fugit reisbureau
Voor al uw bestemmingen
Noem maar op!

WYSIWYG.

Goeie ouwe Johan Peeters! Ik vloog met twee treden tegelijk de trap op.

Maar het was niet *ouwe* Johan Peeters. Het was een veel schonere, jongere, minder afgetakelde versie van mijn oude vriend.

'Johan Peeters?'

'De enige echte.'

'Ik ben op zoek naar iemand. Los?'

'Justine?'

'Ja! Is hij hier?'

'Ze waren hier eerder vandaag. Ze zijn allemaal al weer verder gegaan.'

'Dat kan niet. Waar naartoe?'

'Terug naar waar ze vandaan komen. 3001.'

'Maar ze kunnen me toch niet zomaar achtergelaten hebben?' Waarschijnlijk klonk er lichte paniek door in mijn stem.

'Hé, hé. Rustig maar. Ze zijn je alleen maar vooruitgegaan, meer niet. We zorgen ervoor dat je ze snel achterna kunt.'

'Maar ik wil niet naar 3001.'

'Niet?'

Ik schudde mijn hoofd.

'Maar waar wil je dan naartoe?'

'2005. Daar kom ik ook vandaan, daar hoor ik thuis.'

'Hé, een meissie van het begin van het derde millennium. Uit de oertijd, hum.'

Gezien het feit dat we op dit moment in 1967 waren, vond ik dit toch lichtelijk overdreven.

'2005?' Hij floot zachtjes voor zich uit. Vervolgens rommelde hij in een stapel papieren en haalde een smoezelige lijst tevoorschijn.

'2007, 2006, 2005. Yep, ik heb hem. Dat moet geen probleem zijn.'

Hij begon een stapel diskettes te doorzoeken. De diskettes hadden wel iets weg van fotografische etsplaten. De werkbanken waren bezaaid met stukjes kabel en elektrodes. Het zag er allemaal ontzettend amateuristisch uit. Zoals in een ontzettend oude en gedateerde sciencefictionfilm.

Eindelijk vond hij de diskette die hij zocht en stopte die in een of ander gevaarte dat leek op een kruising tussen een supermodern kunstwerk en een berg afval. Een printplaat van de versterker van een platenspeler was ruwweg met een balg van zo'n superoude, antieke camera verbonden. Aan de achterkant hing een wirwar van duizenden draden en kabels die aan elkaar gesoldeerd waren.

'Weet je zeker dat dit ding veilig is?' vroeg ik.

'Nieuwste van het nieuwste, maak je geen zorgen', zei Johan.

Hij floot zachtjes voor zich uit terwijl hij door een lens tuurde en nog een paar kleine wijzigingen aanbracht.

'Oké, wat is het nummer waardoor je gekomen bent?'

'Gekomen bent?'

'Geüpload?'

'O, dat! Ja...' Gelukkig stond Los zijn e-mailadres in mijn geheugen gegrift. 'http://www.love@3001ad.com.'

Hij tikte het adres in en zei me onder iets te gaan zitten wat verdacht veel op een operatietafellamp leek.

'Klaar?' riep hij. 'Blijf stil zitten. Kijk naar het vogeltje!'

Er was een oogverblindende flits. Toen de sterretjes voor mijn ogen verdwenen en ik weer wat zag, bleek ik nog steeds op *dezelfde plek* te zijn. Lekker dan!

Johan kwam met een zucht overeind.

'Waarschijnlijk zit er ergens een draadje los', zei hij. Hij zoog met een ontevreden blik lucht tussen zijn tanden naar binnen. 'Dat is het probleem weet je. Ik zeg het elke keer tegen ze. De jaren zestig is zo'n beetje het verst dat je terug kunt gaan in de tijd. Dit is echt pionierswerk. Technologie in zijn allerprimitiefste vorm. Nog verder terug en dan ben je bezig stoommachines aan windmolens te koppelen...'

Hij floot terwijl hij met een schroevendraaier de aansluitingen naliep.

Ik zat daar maar en wachtte het af.

'Nou, ik heb alle aansluitingen gecontroleerd – ik zie niets vreemds', zei hij en krabde zich achter de oren. 'Het moet een probleem aan de andere kant zijn.'

Ik voelde een bekend gevoel zich in mijn maag nestelen. Het is het soort angst dat alleen de niet-technologisch begaafden onder ons treft – een pijnlijke kruising tussen knagende twijfel en blinde paniek...

'De computer. Denk... je... dat... het uitmaakt of ie in het stopcontact zit?'

'In... het... stopcontact?'

'Ja, kijk, de computer maakte allemaal vreemde geluiden, alsof ie ging ontploffen of ineenklappen of zoiets – dus... toen... heb ik... de stekker eruitgetrokken.'

'Je hebt wat gedaan?' Johan staarde me aan alsof ik net bekend had dat ik een omaatje had overvallen of kannibaal was geworden of zo.

'Sissende geluiden. Ik wist zeker dat ie ging ontploffen...' zei ik zwakjes.

'Dat zal het dan zijn', zei Johan. Hij smeet zijn pet op de werkbank.

'Is het ernstig?' vroeg ik.

'Ik bedenk wel iets', zei Johan.

'Wat dan?'

'Nou, we kunnen natuurlijk gewoon wachten tot het 2005 is en de stekker er zelf weer insteken', stelde Johan voor. Hij ging op een van de werkbanken liggen en trok de pet over zijn ogen. 'We hoeven maar 38 jaar te wachten.'

'Misschien kunnen we iemand anders vragen de stekker er in te steken?' opperde ik.

'Wie?'

'Is er geen enkele manier om contact te leggen?'

'Vanuit 1967? Met deze primitieve pretechnologische zooi? Je maakt een grapje zeker', zei Johan.

'O...' Meer wist ik niet uit te brengen. Ik denk dat ik op dat moment begon te huilen.

'Maak je geen zorgen – ouwe Johan zorgt wel voor je.'

Ik weet zeker dat het goed bedoeld was, maar op dat moment had ik een vreselijk visioen van Johan en mij in 2005. Samen met onze volgestouwde winkelwagentjes, dicht tegen elkaar aan gekropen om een beetje warm te blijven, bij de brand- weerkazerne.

Jezus, wat een puinhoop. Waarom had ik in hemelsnaam lijf en leden, lichaam en ziel, toevertrouwd aan een stelletje onverantwoordelijke surfers? Tommie had gelijk gehad. Ze waren niet te vertrouwen.

Ik liet mezelf op een stoel zakken. Was Tommie maar hier, die had wel geweten wat te doen. En op dat moment reali- seerde ik me hoeveel Tommie eigenlijk voor me betekent. Hij leek in niets op al de andere jongens die ik kende. Hij stond altijd voor me klaar. Er was niets wat Tommie niet voor me wilde doen. En we kwamen uit dezelfde tijd. En daar is waar ik wilde zijn. Maar in dit tempo zou het niet de huidige 'ik' zijn die daar arriveerde. Ik zou bejaard zijn. Ik zou... (ik rekende het bliksemsnel uit). Ik zou verdomme *zestig* zijn! Horror!

Johan en ik bleven de hele nacht op en voelden ons wanhopig, moedeloos en enorm droevig. Af en toe ervoer ik hoopvolle momenten – Johan had dan een idee en riep: 'Wat als...?' En ik voelde de hoop omhoogborrelen. En dan bedacht hij weer een of andere technische reden waarom het niet zou werken en gleden we allebei weer terug in moedeloosheid.

Net voor het ochtendgloren moet ik in slaap gevallen zijn. Ik werd wakker omdat Johan aan mijn schouder stond te schudden.

'Wakker worden', schreeuwde hij. 'Het werkt weer. Ik weet niet hoe. Maar het werkt weer!'

Mijn ogen zochten de oude operatietafellamp boven me. Tegelijkertijd flitste de lamp.

'Hé, dat is het', was het laatste wat ik hoorde.

15

Het was Tommie die me uiteindelijk vertelde hoe ik terug was gekomen.

Blijkbaar was hij thuisgekomen van een avondje bioscoop en vond hij de volgende e-mail op zijn scherm:

Love
Lords of Virtual Existence
IRL 3001
SOS
Justine gestrand in 1967
Je moet ASAP helpen
Contact
http://www.love@3001ad.com

Uiteraard antwoordde hij zoals te verwachten viel:

http://www.love@3001ad.com
Ha Ha erg grappig
GAL

Bijna meteen verscheen er weer een bericht:

PITA

Stop daarmee en geloof het verdomme maar!

Op dat moment besloot Tommie tegemoet te komen aan wie het dan ook was die hem deze berichten stuurde.

http://www.love@3001ad.com
Oké, dus ik ben een :-)
Wat kan ik voor je doen?

Er verscheen meteen weer een bericht:

Ga naar de Zonderlingh Snuijterlaan 67
Nu!

Het kon niet anders, hè. Zonderlingh Snuijterlaan 67. Het adres zorgde ervoor dat Tommie uiteraard dacht dat dit weer een mafkees op het internet was die grappig wou zijn.

FOAD

Weet je wel hoe laat het is?

Dat bericht zorgde er waarschijnlijk voor dat Los helemaal door het lint ging. Hij begon een hele reeks *flames* met alle computerscheldwoorden die je kunt bedenken te sturen. Maar Tommie was net daarvoor naar bed gegaan en Los kreeg het bericht:

AFK

LATERZ

Dus Tommie was niet heel erg blij toen hij de volgende ochtend ontdekte dat Los zijn woede had gekoeld op het fax-apparaat van zijn vader. Hij had de hele rol faxpapier gebruikt om Tommie te laten weten hoe hij over hem dacht.

Om eerlijk te zijn was het Kasper, de vader van Tommie, die deze elektronische belediging op zijn dak kreeg. Hij kwam Tommies slaapkamer in met zijn armen vol faxpapier waarop in taal die niets aan duidelijkheid te wensen overliet, stond wat een hersendode, hufterige neanderthaler hij was.

'Ik neem aan dat dit voor jou is. En het is niet de reactie van professor Manders op mijn artikel voor *Quest*', zei hij. 'Althans, dat mag ik hopen van niet.'

Op dat moment kreeg Margriet, Tommies moeder, een telefoontje van Caroline. Tommie hoorde alleen Margriets helft van het gesprek.

Margriet: 'Nee, ze is hier niet geweest.'

Telefoon: '...!!!'

Margriet: 'Hm. Lieve hemel. Hmm. Echt?... Ik snap het... Lieve hemel. Ja!... Nee, geen vrienden van hem. Nee... Mmm... Ja... Ik zal het hem vragen.'

Het gesprek hierna tussen Margriet en Tommie was ongeveer als volgt gegaan:

Margriet: 'Heb jij enig idee waar Justine is?'

Tommie: 'Yep, ze is met een stel tijdreizigers meegegaan en zit nu in 1967.'

'Hou op met die onzin. Dit is een serieuze zaak.'

'Dat is het zeker. Je zorgt maar dat je dit allemaal weer oplost – en snel!' bemoeide Kasper zich ermee terwijl hij nijdig zijn jas aandeed omdat hij naar de winkel moest om een nieuwe rol faxpapier te kopen.

Dus Tommie ging weer achter zijn computer zitten en typte:

http://www.love@3001ad.com
Wat heb je precies gedaan man?

En het antwoord was:

Zonderlingh Snuijterlaan 67
Steek de stekker er in man
en alles wordt duidelijk
;-)

Dus er zat simpelweg niets anders op. Tommie moest ernaartoe om het allemaal in orde maken.

Nadat hij de voordeur praktisch uit haar scharnieren geschud had door onophoudelijk aan te bellen en op de deur te bonzen, kostte het hem nog aardig wat moeite om in te breken en binnen te komen. Als man was hij niet op het idee gekomen om even achterom te lopen en te kijken of de achterdeur misschien van het slot was. Maar goed, hij sloop trillend van adrenaline door het huis. Achter elke deur ver- wachtte hij me vastgebonden en gekneveld te vinden. Maar het enige wat hij vond, was een computer die niet aangeslo- ten was. En omdat Tommie Tommie is, stopte hij natuurlijk de stekker erin.

Er klonk een oorverdovende explosie. Zoals ik dus al gedacht had. Zie je wel dat ik gelijk had gehad!

En ik werd gedownload op precies dezelfde plek waar ik geüpload was.

'Jezus', zei Tommie, terwijl hij me aanstaarde alsof ik een spook was of zo. 'Waar kom jij opeens vandaan?'

Zoals je je voor kunt stellen, duizelde het me allemaal een beetje.

'Wat doe jij hier?' vroeg ik hem.

'Wat doe ík hier. Jezus, Justine. Ik kreeg een ontzettend raar mailtje in het holst van de nacht. Ik heb een lading *flames* vol elektronische scheldkanonnades over me heen gehad. Overstelpt met faxpapier. Door je moeder beschuldigd een pooier te zijn, je voor geld te verhuren en aan bondage te doen en God mag weten wat nog meer. Wat nog meer? O ja. Ik was er de laatste paar uur van overtuigd dat ik je vastgebonden en gekneveld als een of andere seksslaaf zou vinden of zoiets.'

'Was het maar waar.'

'Is alles goed met je?'

'Nee. Ja. Ik weet het niet.'

'Maar wat heb je uitgevreten, waar ben je geweest? Waar zijn al die rare vrienden van je trouwens?'

'Ik weet het niet zeker...'

'Je gaat nu toch niet een potje staan grienen, hè?' Tommie had overduidelijk een angstige 'mannen kunnen niet omgaan met emoties'-blik in zijn ogen. Hij tastte naar zijn zakdoek.

'O, Tommie...'

Hij sloeg zijn armen in een warme omhelzing om me heen.

'Kom op, liefje...'

'Je bent mijn aller aller aller allerbeste vriend, dat weet je toch wel, hè?' snufte ik in zijn parka.

'Ja... tuurlijk... helaas.'

'Ik weet niet hoe ik je ooit kan bedanken.'

'Een lange, heftige, totaal ongeremde sekssessie zou het hem kunnen doen.'

'Doe niet zo gek.'

'Ik wist niet dat ik dat deed.'

'O, Tommie.'

'Hier, snuit je neus.' Hij gaf me een gekreukelde zakdoek.

Ik snoot mijn neus.

'Beter? Kom, dan breng ik je naar huis.'

Eenmaal bij mij thuis, ging Tommie naar de keuken en sloot de deur achter zich. Hij praatte een hele tijd met mijn moeder. Ik weet niet wat hij tegen haar gezegd heeft, maar wat het ook geweest is, het werkte. Ze schreeuwde niet en ging ook niet tegen me tekeer. Ze stelde alleen maar voor dat ik een lang, heet bad nam. Daarna ging ik naar bed en sliep ik de rest van de dag en de avond en de nacht tot de volgende ochtend.

En ik had echt een ontzettend bizarre droom. Ik droomde dat mijn moeder mijn slaapkamer binnenkwam. Ze droeg een roze minirok van vinyl, had gigantische valse wimpers en een enorme boblijn in haar haar. Vol tranen bood ze haar excuses aan voor de manier waarop ze me behandeld had.

'...en dat betekent echt dat ik niet meer, nooit meer, op een bepaald tijdstip thuis hoef te zijn?'

'Ja, schat.'

'En je stormt voortaan niet meer op een onmogelijk vroeg tijdstip mijn kamer in en doet de lamp aan?'

'Nooit meer.'

'...of dat je me vraagt of ik wel of niet mijn huiswerk gemaakt heb?'

'Ik zou niet durven.'

Toen ik beneden kwam voor het ontbijt droeg ze haar alledaagse, vertrouwde jumper en een rok tot halverwege haar kuit. Godzijdank. Ze probeerde er nog steeds afkeurend uit te zien. Maar ik merkte wel dat ze al mijn favoriete ontbijtspullen op tafel had gezet. En ze had een halve sinaasappel in partjes gesneden, zoals je bij een grapefruit doet, wat ze vroeger toen ik nog klein was ook altijd voor me deed. Er waren duidelijke tekenen dat het allemaal wel mee zou vallen en goed zou komen.

Ze maakte een kop koffie voor zichzelf en ging aan tafel zitten terwijl ik at.

Nee, ze zei dus niét: 'Helpt het om erover te praten?' Zelfs Caroline is subtieler dan dat.

Ze zei: 'Wat is er met je Silver Surfer gebeurd?'

'Hij is weg.'

'Je vond hem echt heel erg leuk, hè?'

Ik knikte.

'Zulke dingen zijn niet voor altijd en eeuwig, weet je.'

'En jij en papa dan?'

'O, we hebben onze ups en downs gehad. We zijn zelfs een keertje uit elkaar geweest, weet je. Het was echt een vreselijke ruzie. Vlak na het feest voor mijn zusters verjaardag. Toen Hanna eenentwintig werd... Dat was me een nacht...'

'Echt?' Ik slikte een mond vol sinaasappelpartjes in één keer door.

'Het was ons verboden elkaar te zien – voor een heel lange tijd.'

'Waarom...?'

'Hm, nou, ja. Mm, tja, ik weet eerlijk gezegd niet echt waarom. Maar opa heeft je vader altijd afgekeurd. Al voordat eh...'

(Voordat jullie betrapt werden in de bosjes? wilde ik haar voorzeggen. Maar het leek me toch verstandiger om mijn mond te houden.)

'Ik begin het me allemaal weer te herinneren. Het komt allemaal weer terug. Het was voornamelijk de schuld van die vreselijke au pair... Hoe heette ze ook alweer... Heidi?... Nee, Helga... Zo heette ze. Zij en die arme Hanna gingen er met de band vandoor. Het was allemaal afschuwelijk... Wil je nog meer thee?'

'Wat heeft die Helga gedaan dat zo vreselijk was?'

Maar op dat punt wilde mijn moeder niet ingaan of uitweiden en ze veranderde het onderwerp. Blijkbaar hadden we geen Earl Grey-thee meer. Typisch! Ouders!

Vervolgens begon ze aan een onlogisch relaas over een man die voor vreselijk veel geld tatoeages kon verwijderen. Als je hem maar genoeg betaalde. Het was duidelijk dat ze troost putte uit het idee dat ze me wel kon overhalen de tattoo te laten verwijderen.

Dus liet ik haar voorlopig in die waan.

'O, trouwens,' eindigde ze haar relaas, 'er staat een vreemd bericht voor je op dat computerding van je vader.'

'Een e-mail?'

'Luister Justine, doe niet zo technisch. Het komt uit Amerika.'

Amerika? Ik kende helemaal niemand in Amerika.

Ik ging naar papa's studeerkamer. Op het scherm stond:

Van: Los Angeles

Het was een couplet van 'Silver Surfer'. Je weet wel, de songtekst. Het ging als volgt:

Venus shine for me
Like the light
From a distant star
Your love
Is in the waves

And the waves from your time
Flow forever into mine

:-x

Het was zo, zo mooi.

Ik zat daar ik weet niet hoe lang naar het scherm te staren.

Ik kon mezelf er eerlijk gezegd niet toe zetten de computer te gebruiken zolang het bericht op het scherm prijkte. Dus zat ik gewoon aan papa's bureau voor het scherm.

Opeens viel mijn oog op een krant op papa's bureau. Het was de krant uit 1967 die ik gebruikt had voor mijn Millennium-project. Aan de rechterkant van de voorpagina was een foto van een man met een doodskopmasker op en een bord met de tekst *Voer eendjes, geen oorlog* in zijn handen. En achter hem, niet te missen in Carolines nauwsluitende, rechte, zilverkleurige lurexjurk, stond ík. Ik wist wel dat ik die vent met dat masker eerder had gezien. Plotseling kwamen alle herinneringen aan die dag boven. Hoe de fotograaf precies op dat moment deze foto maakte. Ik bestudeerde de foto aandachtig. Geen twijfel mogelijk, dat meisje op de foto, dat was ik. En wat zag ik eruit – ik leek wel een freak!

Dit was precies wat ik nodig had. Keihard bewijs! Eindelijk!

Ik belde meteen Tommie op.

'Luister, je moet meteen langs komen. Ik moet je iets laten zien!'

Tommie stond binnen een uur voor de deur.

Hij zag er, eerlijk gezegd, goed uit. Om te beginnen had hij niet die vreselijke parka aan. Tommie had altijd al die echte 'sullige' stijl in de manier waarop hij zich kleedde en zo. En het grappige was dat opeens, alsof het lot aan zijn zijde stond of zo, deze 'sullige' stijl op het moment helemaal 'in' was. Ongelooflijk maar waar! Hij zag er echt goed uit.

'Hoe voel je je?' vroeg hij.

Zijn oog viel op het scherm van de computer.

'Wat is dit in vredesnaam?'

'Hij heeft me een e-mail gestuurd.'

'Wat ga je nu doen? Een strik om de computer doen en hem onder je kussen bewaren?'

'Lees het nou maar', zei ik.

Hij leunde naar het scherm toe.

'Het klinkt nogal abstract en bovennatuurlijk, vind je ook niet', zei Tommie minachtend. Hij plofte op papa's leren bank neer. 'Ga je me nog vertellen wat er nu echt gebeurd is?'

'Dat heb ik je al verteld. Ik ben drie hele dagen in 1967 geweest.'

'Gelul.'

'Nou, als je zo gaat doen.'

'Je bent drie hele dagen op de Zonderlingh Snuijterlaan 67 geweest. Waar je het drie dagen lang met die surfende lul op radiogolven gedaan hebt.'

'Jezus – je bent net zo erg als mijn ouders. Dat is gewoon niet waar. Er is helemaal niets gebeurd als je het echt wilt weten.'

'Niet?' Die kleine lachrimpeltjes rond zijn mond verrieden mannelijke voldoening. 'Waarom niet?'

'Daarom niet.'

'Maar je was helemaal gek op hem. Niet dan?'

'Je hoeft het er niet in te wrijven.'

'Het kwam maar van één kant zeker?'

'Niet helemaal. We waren gewoon te verschillend, dat is alles.'

'Hoe dan?'

'Hij komt uit het jaar 3001.'

'Gelul!'

'Ik ben teruggereisd in de tijd, ja? Hij kwam gewoon van iets verder in de tijd, dat is alles.'

'O, tuurlijk.'

'Je gelooft me niet, hè.'

'Nee.'

'En als ik het nou kan bewijzen?'

Hij proestte het uit: 'Hoe wilde je dat doen?'

Tommie ging er eens goed voor zitten. Helemaal klaar om sceptisch te reageren.

Met een uitdrukking vol bescheiden verborgen triomf hield ik de krant omhoog.

'Kijk!' zei ik, terwijl ik hem de krant onder de neus duwde.

'Zie je de datum op de krant – *29 juli 1967*. En kijk eens naar die foto...'

'Jezus', zei Tommie terwijl hij rechtop ging zitten. 'Tering. Jezus Christus. Dat ben jij.'

'Bewijs genoeg?'

'Nou ja, je kunt de foto natuurlijk veranderd hebben...' zei Tommie terwijl hij de foto aan een nauwkeurig onderzoek onderwierp.

'O, hou toch op. Waarom? Waarom zou ik dat in hemels-naam doen?'

'Nou ja, de foto ziet er echt uit...' gaf hij met tegenzin toe. 'Ja, oké, het lijkt echt. Ik bedoel serieus. De foto is echt echt.' Hij zette zijn bril af en hield de krant tegen het licht. 'Echt!'

'Ben je nu overtuigd?'

'omg', zei Tommie. 'Je weet wat dat betekent, nietwaar?'

Ik schudde mijn hoofd.

'Dat project waar ik mee bezig ben voor school. Over die

nieuwe, verbeterde theorie van Stephen Hawking. Die zijn oorspronkelijke theorie over de algemene relativiteitstheorie van Einstein herziet. Ik heb het helemaal bij het verkeerde eind.'

'Je bent me een theorie of twee geleden kwijt geraakt, geloof ik.'

'Maar dit is echt heftig.'

'Zeg dat wel, ja. Ik had bijna vastgezeten in 1967.'

'Ik snap niet waar ik een denkfout heb gemaakt.'

'Het was me misschien wel nóóit gelukt om terug te komen.'

'Ja, dat is écht heftig', zei Tommie. 'Je zou daar natuurlijk niet echt voorgoed vastgezeten hebben. Je zou alleen ouder en ouder geworden zijn en nu nog leven. Alleen zou je dan... nu *zestig* zijn.'

'Verschrikkelijk!'

'Vreselijk!' zei hij. 'Je bent dan oud genoeg om mijn moeder te zijn! Wat als ik er niet geweest was. Wat als Los je niet gevonden had. Wat als...' Tommie verzonk in diep gepeins.

'Hé, dat is wel heel erg vreemd, weet je', zei hij.

'Wat?'

'Hoe wist ie waar hij je kon vinden?'

Ik haalde mijn schouders op. 'Hij deed daar erg geheimzinnig over. Hij bleef maar met een code komen. zp nog iets. Met een nummer erachter. Ze vonden het allemaal ontzettend grappig.'

'zp', zei Tommie. 'Geen standaard tla. Kan niet echt bedenken waar zp voor staat. zp, zp, zp. Tenzij het natuurlijk "zie p." betekent. Als in "zie pagina".'

'Zie welke pagina?'

'Een pagina van een of ander boek of zo. Ik bedoel, dat is het internet, weet je. Op den duur staat alles wat ooit gedrukt is op het internet. Elk schema, elke plattegrond, elk ontwerp, elke film, elke foto, elk boek dat ooit geschreven is. Het worden allemaal data in cyberspace...'

'Een pagina in een boek?' onderbrak ik hem. 'Dat slaat helemaal nergens op. Er bestaat helemaal geen boek waarin Los kon opzoeken waar ik in 1967 was, of wel?'

Op dat moment staarde Tommie me met een soort eureka-blik in zijn ogen aan. Zijn hele gezicht leek te zeggen: Ik heb het. Alles is opeens duidelijk!

'Nóg niet!' zei hij.

'Wat bedoel je met "nog"?'

'Omdat het nóg niet geschreven is.'

'Niet?'

'Maar het wordt wel geschreven. Dat moet wel. Anders zat je daar nu nog vast. En er is maar één persoon die het kan schrijven, Justine. Er is maar één persoon die precies weet wat er gebeurd is. Die precies weet waar jij was in 1967. Niet dan?'

Met een wee gevoel in mijn maag wist ik wat er komen ging. 'Ik?'

Tommie knikte.

Toen Tommie naar huis was, sloot ik zachtjes de deur van papa's studeerkamer. Ik ging achter de computer zitten en typte de titel:

Justine, summer of love
Jouw handleiding voor computertaal
(Opgesteld door Tommie Levi Conraad – foc)

Lettero's

AFK	away from keyboard/weg van toetsenbord
ASAP	as soon as possible/ zo snel mogelijk
B4	before/voordat
BAK	back at keyboard/terug aan toetsenbord
BTW	by the way/tussen haakjes
BVD	bij voorbaat dank
DNK	dank
F2F	face to face/ tegenover elkaar
FAQ	frequently asked questions/veelgestelde vragen
FOAF	friend of a friend/een vriend van een vriend
FOC	free of charge/gratis
GAL	get a life/ga eens echt leven
HHOK	ha ha only kidding/haha, grapje
HHMDS	ha ha, maar dan serieus
IBVOJ	ik ben verliefd op jou
IRL	in real life/in het echte leven/in werkelijkheid
JAM	just a minute/een ogenblikje
JBEK	je bent een klootzak
KISS	keep it simple stupid/hou het simpel, domkop
L8R	later
LATERZ	ik zie je later
LTNS	long time no see/lang niet gezien
MORF	male or female?/mannelijk of vrouwelijk?
NFWM	no fucking way, man!
NSO	nog steeds onwetend
OENS	over en sluiten
ODT	over de top
OMG	oh mijn god
PITA	pain in the ass/lastpak

RUOK are you OK?/alles in orde met je?

TLA three letter acronym/drieletterig acroniem (letterwoord)

VR virtual reality

W8FF wacht even

WYSIWYG what you see is what you get/wat je ziet, is wat je krijgt

XJE ik zie je

ZP zie pagina

Emoticons

smiley	betekenis
O:-)	je bent een engel
:-)	ik ben blij
:-(	ik ben verdrietig
)	ik grijns
:'-(	ik moet huilen
:-)'	ik kwijl
:'''(	ik moet heel hard huilen
8)	zeikerd
::-)	ik heb een bril
:-x	kusje
(-:	ik ben linkshandig
€-)	ik ben platzak
*-)	ik ben stoned
:-))	ik ben heel blij
:-))	ik ben heel verdrietig
;-)	knipoog

bit: kleinste eenheid van informatie in informatieverwerkende systemen; kan uitsluitend de waarden 0 of 1 aannemen

bits per seconde: aanduiding voor de snelheid waarmee een apparaat gegevens kan verzenden

byte: eenheid van informatie bestaande uit acht bits; het equivalent van één karakter (letter, cijfer, teken)

connect time: de tijdsduur van een bepaalde verbinding

crash: het vastlopen van een programma of zelfs van de computer. Veroorzaakt door een fout in het programma, de apparatuur of een combinatie van beide

cybermuzikant: een muzikant die concerten geeft op het internet

cyberpunk: iemand die in de toekomstige cultuur van het internet 'leeft', zoals die loser Los

cyberspace: virtuele ruimte in netwerken, met name internet

digibeet: iemand die volstrekt onkundig is op het gebied van computers en informatietechnologie

download: van een ander computersysteem data naar je eigen computer halen

e-mail: elektronische post: een manier om berichten via een computer te sturen in plaats van inkt op dode bomen te gebruiken

flame: elektronische scheldpartij

internet: wereldwijd netwerk van computers gebaseerd op een gemeenschappelijk, gestandaardiseerd protocol

kit: computergereedschap

lurker: iemand die nieuwsgroepen leest zonder eraan deel te nemen

luser user/loser: een zeer ondeskundige computergebruiker

modem modulator/demodulater: apparaat om de pc aan te sluiten op een telefoonlijn, zodat met andere computers gegevens uitgewisseld kunnen worden. De modem kan meestal ook faxen versturen en ontvangen. De modem zet digitale signalen om naar analoge signalen (moduleren) of omgekeerd (demoduleren) en is in staat om via een telefoonlijn gegevens van de ene naar de andere computer te sturen

net: als verkorting van internet

netiquette: basisgedragscode op internet, de etiquette op het net, de ongeschreven en geschreven gedragsregels voor het internet

newbie: een nieuwe, nog onwetende gebruiker van het internet

schreeuwen: een e-mail versturen die helemaal in hoofdletters geschreven is

smiley: tekeningetje samengesteld uit letters of leestekens; gewoonlijk illustreren ze de stemming van de afzender

snailmail: slakkenpost, wordt door internetters gebruikt om de gewone post aan te duiden, in tegenstelling tot e-mail

spammen: het versturen van ongevraagde en ongewenste e-mail en het plaatsen van commerciële berichten in honderden nieuwsgroepen

surfer: iemand die op internet op zoek is naar interessante sites en mensen om te bezoeken

TCP: Transmission Control Protocol, verantwoordelijk voor de betrouwbare verzending van gegevens van het ene knooppunt op het netwerk naar het andere

TLA: three letter acronym/drieletterig acroniem (letterwoord). Bestaat meestal uit meer dan drie letters, maar wat maakt het uit?

toegangspoort: koppeling tussen verschillende netwerken

upgrade: een systeem opwaarderen door het te verbeteren of er onderdelen aan toe te voegen

uploaden: het overbrengen van data van de eigen computer naar een andere computer of een netwerk – maar vrijer gebruikt door een aantal sukkels, nerds, watjes, aanstellers, hersendode neanderthalers die ik ken

virtual reality: interactief computersysteem dat de werkelijkheid simuleert; een kunstmatige 3D-wereld

virus: een programma dat andere progamma's infecteert en soms zelfs vernietigt. De cyberhufterversie van het beschadigen van bomen en uitroeien van wilde dieren

wachtwoord: een persoonlijke toegangscode tot een computer, netwerk of programma

world wide web: onderdeel van internet met informatie die voor iedereen is bedoeld

www: tla voor bovenstaande

Hé, wacht, ik ben er een vergeten!

in verbinding staan: of 'nu in verbinding staan' zoals cyberpunks het noemen: cyberjargon voor wat wij 'met elkaar gaan' noemen – wat toevallig is wat Justine en ik op het moment doen. Ze wilde het je niet vertellen, maar ik vind dat we je toch wel moesten laten weten wat er nu uiteindelijk gebeurd is.

Justine, teenage chic

Justine Duval is een doordeweekse veertienjarige tiener met
bescheiden verwachtingen van het leven: een beroemdheid
worden, hopen geld verdienen, er onverbiddelijk aantrekkelijk uitzien en pure, onbezoedelde liefde vinden. Gemakkelijk
toch? Maar dan gooit een onverwachte ontmoeting roet in
het eten: haar toekomstige zelf, tien jaar ouder en wijzer, tikt
haar op de vingers en vindt dat het tijd is dat ze haar leven op
de sporen zet, voor het fout afloopt met haar... Justine pakt
de zaak flink aan, op meer dan één manier!

ISBN 978 90 223 2350 2

Justine, boy meets girl

Wanneer Justine op een virtualrealitybeurs plots 'heruit-
gevonden' wordt als jongen dankzij een vreemde tover-
machine is ze de wanhoop nabij. Tot ze de voordelen van
haar situatie begint in te zien, want haar nieuwsgierigheid
is geprikkeld als ze beseft dat ze nu aan den lijve kan onder-
vinden hoe het is om te leven als man. Maar op één ding had
ze niet gerekend: de échte Justine loopt ook nog rond, en die
heeft een oogje op haar mannelijke – zeer knappe! – tegen-
hanger...

ISBN 978 90 223 2382 3